JN007635

見る 読む 分かる

IT&デジタル

重要キーワード

日経パソコン 編

日経BP

はじめに

IT（情報技術）やデジタルに関する言葉は、英語を基にしたカタカナ語であったり略語であったり、あるいは技術的な専門用語であったりと、とっつきにくくて意味がよく分からないものが多くあります。新聞や雑誌、インターネット上の記事を読んでいて、知らない言葉に戸惑うことも珍しくありません。

また、職場での打ち合わせや会議で「当社のDXを推進するにはどうすべきか」などと問われたとき、「DXって何でしょう？」と聞き返すようでは、恥ずかしいばかりか、周囲に一歩も二歩も後れを取ってしまいます。現代のビジネスは、ITやデジタルが推進していると言っても過言ではありません。世の中の動きやそれに関する会話・議論に付いていくためには、ビジネスパーソンとしての“常識”を身に付けておきたいものです。ITやデジタルに関する知識は、今や社会人の“教養”として必須になっています。

本書は、ITやデジタルの現状を把握するのに不可欠な言葉や用語をテーマごとに厳選。その意味や背景にあるトレンドなどをまとめました。話題のキーワードを詳解し、関連語や基本用語についても説明しています。索引を使って調べるだけでなく、先頭から、あるいは気になるテーマから順次読んでいくのもお勧めです。図表と併せて「見て読んで分かる」構成を心掛けました。ぜひお手元に置いてご活用ください。

日経パソコン編集部

Contents 目次

生活

SNS

技術

Webサービス

ネットワーク

ソフトウエア

プログラミング

第1章

ビジネスに必須の厳選キーワード

digital transformation

重要

DX（デジタルトランスフォーメーション）

デジタル化が社会とビジネスを変革する

情報通信技術の浸透で、人々の生活があらゆる面で良い方向に変化するという考え方。デジタルのDと、「trans（別の状態へ）」を意味するXで「DX」と略される。

「全ての人々の暮らしをデジタル技術でより良い方向へ変革していくこと」。DXという言葉を2004年に提唱したスウェーデンのウメオ大学教授（当時）のエリック・ストルターマン氏はこのように定義した。

近年はIT（情報技術）／ICT（情報通信技術）が浸透したことで、さまざまなサービスや作業のデジタル化が進んでいる。それぞれが個別に変わるだけではなく、それらの相互作用で社会やビジネスの枠組み自体がより良く変化するというのが、DXに対する一般的な認識だろう。

例えば、会員間で自動車を共有するカーシェアリング。レンタカーより便利で安価なサービスとして広まっている。これは、通信技術の進歩によって遠隔から自動車の鍵の開閉や状態監視ができるようになり、さらにインターネットの利用者マッチングサービスを組み合わせることで実現した。利用者の生活スタイルの変化も影響しており、DXの好例といえるだろう。

デジタル化で市場全体が大きく変わった端的な例は音楽業界だ。人々が楽曲に接する手段が音楽CDから音楽配信へと移行したことでさまざまな影響が波及し、音楽制作会社やアーティストの収益源や活動スタイルは一変した。

産業界では特にDX推進による生産性向上やコスト削減、新ビジネス創出への期待が高い。国内では経済産業省が2018年9月、国内企業がDXを推進する上での課題整理と対応策を公表した。DXの推進を阻む課題を克服できない場合、2025年以降年間で最大12兆円の経済

それぞれの立場によるDXの見方

一般

DXで仕事や生活がより便利になっていく

IT業界

DXで顧客が導入しているシステムの刷新を促す

企業や組織

DXによる業務の改善と効率化で業績をアップする

行政

DXを後押しすることで国内経済を活性化する

DXに対する見方や考え方は、それぞれの立場で異なる部分がある

損失が生じる可能性があるとし、このような最悪のシナリオを「2025年の崖」と名付けて、DXの推進を喚起した。

DX推進の司令塔として期待されているのが、2021年9月発足の「デジタル庁」だ。各省庁のデジタル化に関する予算を一括して管理し、システムの一元化などを目指すという。

音楽業界は音楽配信への移行で大きく変化

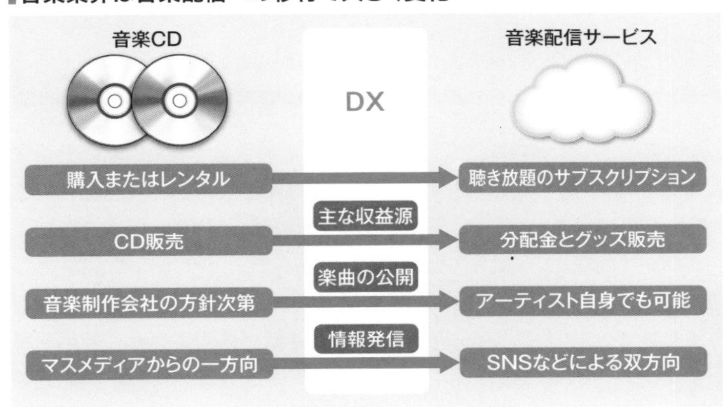

音楽業界は、好むと好まざるとにかかわらず、インターネットの普及で業態が大きく変化した

政府はデジタル改革の推進に意欲

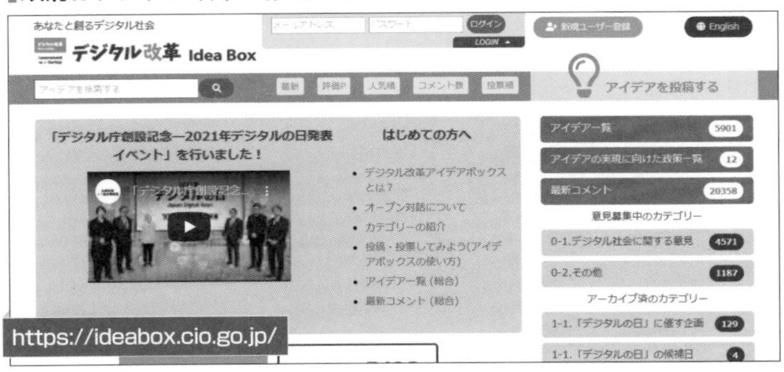

内閣官房IT担当室が運営する「デジタル改革アイデアボックス」のWebサイト。デジタル技術の活用について意見を広く募集している

ワンポイント

DXは基本的な考え方の提唱。改革の旗印として社会が動きつつある。

これもキーワード

X-Tech 既存産業にITを組み合わせることで登場する新ビジネス(→P20)

ICT 情報通信技術。ITとほぼ同義で、情報活用を強調する意味合いがある(→P143)

アイオーティー；internet of things

重要

IoT

さまざまな機器がインターネット接続で高度化する

家電や自販機、生産設備など、さまざまな機器やセンサーがインターネットを通じてデータを送受信すること。各種の自動化や高機能化が期待される。

IoTをそのまま翻訳すると、「モノのインターネット」。コンピューター同士やそれを介して人間同士がつながってきたインターネットに、さまざまなモノ（機器）が接続されていくという意味だ。

クラウドを活用することで、IoT機器は高度な制御が可能になり、IoT機器から収集したデータは自動化や効率化に役立つと期待されている。機器同士が通信でつながるという点を指して、M2M（エムツーエム、マシン・ツー・マシン）という呼び方もある。

政府の第５期科学技術基本計画（2016～2020年度）では、IoTを含めた情報通信技術（ICT）で大きく変わる未来社会を「Society 5.0」と呼んだ。狩猟社会、農耕社会、工業社会、情報社会に続く新たな社会とする。Society 5.0の社会では、IoTで全ての人とモノがつながり、さまざまな知識や情報が共有される。分野を横断した連携が促進され、社会的な課題や困難の解消が進むという考えだ。

一方、IoT機器はコンピューターと同様、管理が不十分だとマルウエアに侵入されるリスクがある。サイバー攻撃に悪用されることもあり得るため、対策として総務省は2019年２月、「NOTICE（ノーティス）」という取り組みを開始した。この名称は

機器同士が自律的に通信することで高度な自動化が可能になる

IoTの利用例。さまざまな機器がインターネットで情報をやり取りする。インターネットを前提としないM2M（machine to machine）に限った範囲でも、機器同士の通信だけで資材を補充するなどの自動制御が可能になる

「National Operation Towards IoT Clean Environment」(IoT機器のクリーン環境に向けた国家活動)の略で、通達や警告の意味もある。情報通信研究機構(NICT)が、自動プログラムで調査を実施。問題のある機器が見つかった場合は、その利用者に対して、インターネット接続事業者を通じて注意を喚起する。

IoTとICTがもたらす未来社会が「Society 5.0」

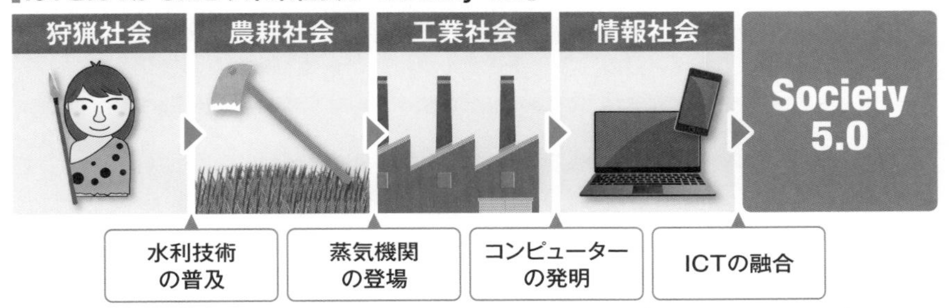

Society 5.0では、IoTで全ての人とモノがつながり、知識や情報の共有によりさまざまな課題が克服されるという

「NOTICE」でIoT機器の安全な管理を促す

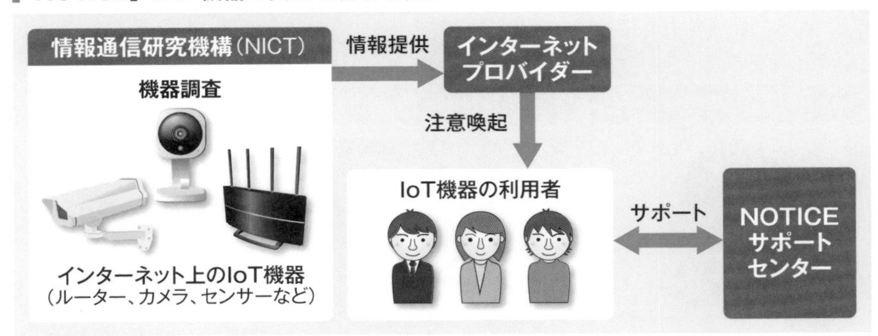

総務省が推進するNOTICEの概要。情報通信研究機構(NICT)が、インターネットにつながる国内の機器を自動プログラムで調査し、問題のある機器の利用者に対して、プロバイダー経由で注意を喚起する

ワンポイント

IoT機器同士が通信することで、さまざまな自動化が急速に進む。

これもキーワード

M2M　機器同士が人間を介さずに通信することで自動制御する仕組み

Society 5.0　政府が提唱する未来社会の姿。IoTとICTで変貌するという

NOTICE　総務省が推進する、IoT機器の安全な管理を促す取り組み

ブイアール；virtual reality ／エーアール；augmented reality

最新

VR／AR

現実空間とデジタル情報の空間を融合する

VRは、CGによる仮想の空間を、視覚や聴覚で現実空間のように体験するための技術。ARは、利用者の目の前の光景にデジタル情報を重ね合わせる技術。

仮想空間に入り込むVR（仮想現実）と、現実空間にデジタル情報を重ねるAR（拡張現実）の活用が広がっている。

VRは、CG（コンピューターグラフィックス）や実際の映像などを基に人工的に作った環境や技術を指す。これに対応した装置としてVRゴーグル（ヘッドマウントディスプレイ）があり、上下左右360度の映像をこの装置で視聴する。体の動きに合わせて視点が変化するため、その空間に入り込んだような没入感を得られる。

ARは、人が実際に知覚している現実の環境をコンピューターで拡張する技術だ。眼鏡やカメラを通した現実の映像にデジタ

現実と仮想の組み合わせ方で3通り

AR（拡張現実）

目の前の光景に
デジタル情報を重ねる

用途の例
カーナビ、観光案内

MR（複合現実）

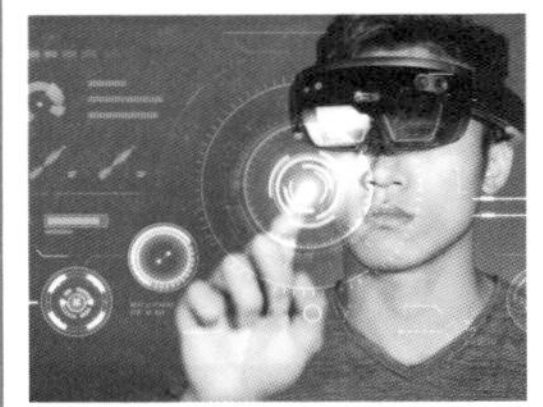

目の前の光景に
仮想空間を重ねる

用途の例
工場での作業確認、
建築デザインの確認

VR（仮想現実）

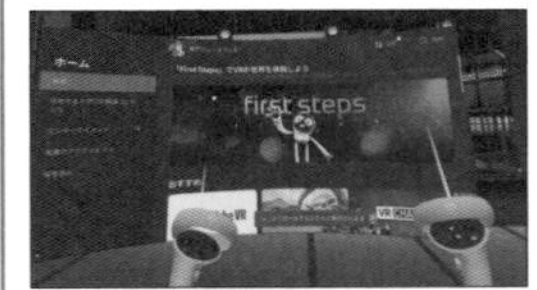

仮想空間を
現実のように体験する

用途の例
ゲーム、
体感型アトラクション

AR（拡張現実）、MR（複合現実、mixed reality）、VR（仮想現実）の大まかな特徴と用途の例。これら全てを含めた包括的な技術として、XR（クロスリアリティー、cross reality）という呼び方もある

VRゴーグルを装着して仮想空間に入り込む

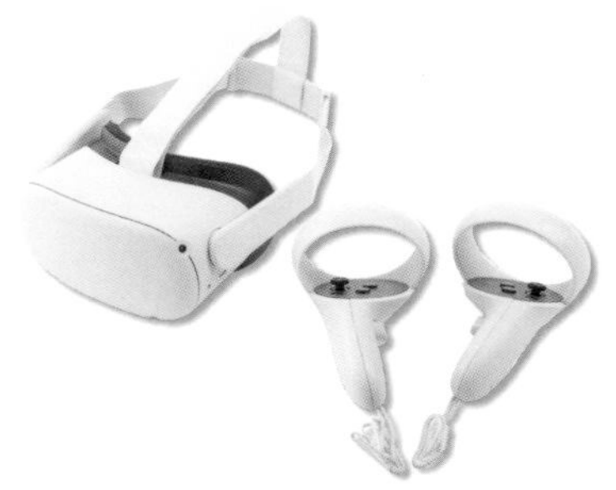

VRゴーグルの例。VR空間で操作するためのコントローラーもある。写真は米フェイスブックの「Oculus Quest 2」

VRゴーグル内のホーム画面でコンテンツのメニューを表示させた。専用のWebブラウザーも使える

ル情報を重ねて表示する。VRとARを複合させたMR（複合現実）もある。

これらの技術による新しい体験が、だんだんと身近になってきた。ゲームだけでなく、現場サポートの業務や建築デザインの確認といった用途でも使われ始めている。VRゴーグルやAR用のスマートグラスなど、専用デバイスも広がりつつある。

XR（クロスリアリティー）という包括的な呼び方もある。VR、AR、MR、さらにAI（人工知能）などの技術を組み合わせることで、仮想と現実の垣根を越えた体験を可能にする。例えば、バーチャルのキャラクターとのリアルなコミュニケーションができるサービスも実用化目前だ。

凸版印刷が開発するXRのサービス

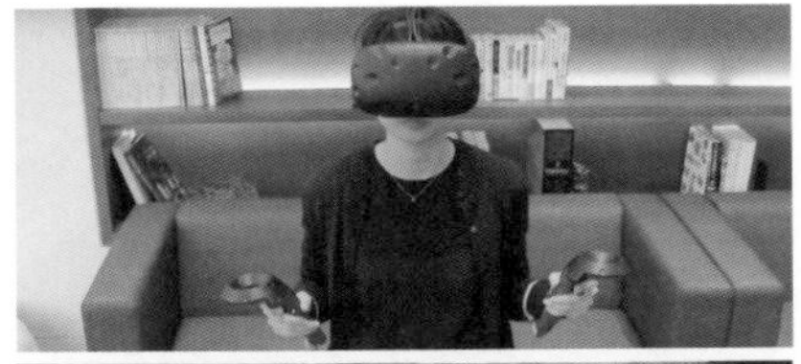

凸版印刷の「TeleAttend」では、遠隔地にいる説明員がVRを通じてバーチャルキャラクターを操作。それを現場のタブレットにARで表示し、来場者と会話する（提供:凸版印刷）

ワンポイント

デジタルの世界が現実と融合する新しいユーザーインタフェース。

これもキーワード

VRゴーグル　立体視用のゴーグル。加速度センサーで利用者の動きに追従する

スマートグラス　眼鏡のように装着して、レンズ部分にデジタル情報を表示する

XR　VRやAR、AIなどを組み合わせることで新しい体験を提供する技術

じどううんてんしゃ；autonomous car

注目

自動運転車

運転支援から段階的に完全な自動運転へ

車の運転を自動化する技術。自動車メーカーや大手IT企業などが開発中。国土交通省は2025年以降の本格導入を想定し、関連する法整備などを進めている。

カーナビ（カーナビゲーションシステム）が普及して以降、自動車のIT化は急速に進展した。通信機能を搭載して情報を送受信するほか、運転時にスマホアプリの機能を利用できる「CarPlay」「Android Auto」対応の自動車が普及しつつある。センサーにより衝突を予測し被害を軽減する自動ブレーキ機能を搭載する自動車も増えている。国土交通省は、2021年11月以降に発売される国産の新型車について、自動ブレーキの装備を義務化した。

IT化の究極の目標は、自動車メーカーや大手IT企業が競って開発する自動運転車だ。国土交通省は、自動運転をレベル1～5までの5段階に分類。レベル1、2は運転支援という位置付けであり、レベル3～5は基本的にシステムによる自動運転になる。EV（電気自動車）化の流れとも結び付き、次世代の自動車とそれを取り巻く社会は大きく変貌するだろう。

行政が規定する自動運転のレベル

レベル	内容
レベル5	**完全自動運転**（常にシステムが運転を実施）
レベル4	**特定条件下での完全自動運転**（動作継続が困難な場合もシステムが対応）
レベル3	**条件付き自動運転**（必要時には運転者による適切な対応が必要）
レベル2	**特定条件下での自動運転機能**（高速道路で、自動で追い越す、分合流を自動で行う など）
レベル1	**運転支援**（自動ブレーキ、前の車に付いて走る、車線からはみ出さない など）

レベル3以上はシステムによる自動運転が前提になる（「官民ITS構想・ロードマップ2017」を基に作成）

ワンポイント

自動運転とEVへの移行により、自動車と社会は大きく変貌する。

これもキーワード

EV　電気自動車（electric vehicle）。電気モーターを動力源とする

ザース；X as a service

重要

XaaS

あらゆるIT資源をサービスとして提供する

購入することなく定額制で提供される利用形態。インターネットのサービスとして急速に広まったSaaS、IaaS、PaaSなどの考え方が、多方面に広がった。

世の中は今、「モノ（物質）」から「コト（体験）」の時代へと大きく変わろうとしている。例えば、音楽や映画は、月額課金サービスを契約して聴き放題、見放題で楽しむのが当たり前になった。

「アズ・ア・サービス（サービスとして提供）」という表現は、主にIT業界から始まった。1990年代末から、顧客管理などアプリの機能をWebサイトで提供するサービスが広まり、SaaSという呼び方が定着した。2000年代以降は、仮想サーバーなどを提供するIaaS、IaaSとSaaSの中間としてPaaSが確立され、クラウド時代へと突入した。ここ数年はXaaSという包括的な呼び方も一般的になった。全ての総称として「X」の文字を当てはめている。

「アズ・ア・サービス」が社会全般に広がる

SaaS（サース）	ソフトウエア（アプリケーション）をサービス化
IaaS（イアース）	インフラ（サーバーやストレージ）をサービス化
PaaS（パース）	プラットフォーム（開発環境や実行環境）をサービス化
DaaS（ダース）	デバイス（機材の導入から廃棄まで）をサービス化
MaaS（マース）	モビリティー（交通機関など移動手段全般）をサービス化

「アズ・ア・サービス（as a service）」というキーワードで、モノを所有せずにサービスとして利用するという考え方が、社会や生活全般に広がりつつある

ワンポイント

必要なときに必要なだけ利用することで資源を無駄なく最大限に活用する。

これもキーワード

SaaS　パソコンのアプリと同じような機能をWebサービスとして提供する

MaaS　交通機関や自動車などの移動手段全般を定額料金で提供する

サブスクリプション　製品やサービスを期間ごとの定額料金で利用する方式（→P39）

クロステック：XT

注目

X-Tech

ITで既存の産業構造を変革する新ビジネス

最新のITを駆使した製品やサービスにより、既存の産業構造を変革していくトレンド。業種名などを組み合わせた「xxテック」という呼び方の総称になる。

フィンテック（FinTech）やリーガルテック（LegalTech）など、業種／業務と技術（テクノロジー）を組み合わせたキーワードが相次ぎ登場している。いずれも共通するのは、ITを積極的に取り入れた新しいビジネスモデルということ。X-Techはそれらの総称であり、全体的な潮流を表すキーワードでもある。

最初に注目されたのはフィンテック。ITを活用した新たな金融サービス分野を指す言葉として使われる。例えば、米国のモバイル端末決済サービス「Square（スクエア）」は、iPhoneなどのデバイスにカードリーダーを接続してクレジットカード決済を可能にする仕組みであり、イベントなどの場で利用されている。

フィンテックは米国や英国を中心に発展し、米国では2013年時点で既に30億米ドル以上もの資金がこの分野に投資されたという調査報告がある。今後は株式や銀行など、金融市場に特化した分野も注目の一つ。日本でもこうした業務系サービスの成長が見込まれる。

リーガルテックは法務関連。法令・判例データベースのように裁判官や弁護士などを対象とした法曹界向けから、各種申請書や契約書の作成支援、電子契約、特許や商標登録出願、法律相談など、企

「xxテック」のキーワードが次々と登場

業種／業務	ITの組み合わせ
農業（agriculture）	アグリテック（AgriTech）
教育（education）	エドテック（EdTech）
金融（finance）	フィンテック（FinTech）
食品（food）	フードテック（FoodTech）
行政（government）	ガブテック（GovTech）
健康（health）	ヘルステック（HealthTech）
人事（human resources）	エッチアールテック（HRTech）
法律（legal）	リーガルテック（LegalTech）
マーケティング（marketing）	マーテック（MarTech）
小売り（retail）	リテールテック（RetailTech）

頻出する「xxテック」のキーワードをまとめた。この傾向はほとんどの業種／業務に波及しそうだ

業の法務部や個人を対象にしたものまで、さまざまなサービスがある。

例えば、契約書チェックサービスは、AI（人工知能）などで契約書を査読し、書式の不備や違法事項の有無、自社が不利益を被る事項、用語の誤りや不統一、文言の誤り、曖昧表現などを修正する。

フードテックは、文字通り食とデジタル技術を掛け合わせる。欧米発の動きで、世界中に新たな波を起こしつつある。調理や食品の生産・加工・流通など、食に関わる領域全般にITを活用し、効率化や利便性の向上を図る。

フィンテックの主な対象領域

決済サービス
APIなどによる連携、
XML電文による決済高度化

投資・運用サービス
ロボアドバイザー、
クラウドファンディング

融資サービス
P2Pレンディング
（貸し手と借り手のマッチング）

仮想通貨

サービスの種類は多岐にわたり、システム開発だけでなく、関連する法律の整備が必要になる場合が多い

リーガルテックは法務で新サービス提供

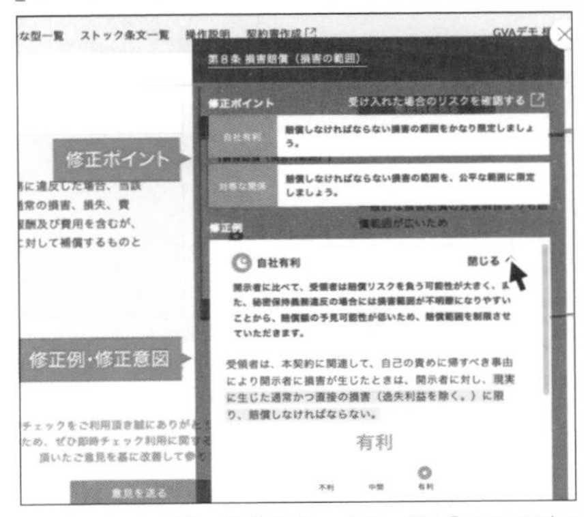

リーガルテックの例。契約書チェックサービス「AI-CON（アイコン）」は、契約書をAIが査読して修正例を提案する

フードテックは食の枠組みを変える

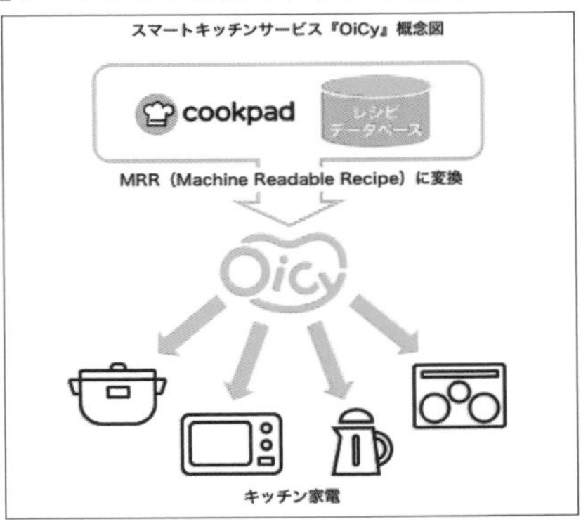

フードテックの例。「クックパッド」が提唱する、レシピ情報を取得して自動調理を目指す「OiCy」の枠組み

ワンポイント

ITを導入する全ての業種／業務でX-Techの新ビジネスが始まる。

これもキーワード

フィンテック　金融（ファイナンス）とITを組み合わせた新ビジネス

リーガルテック　法律業務（リーガル）とITを組み合わせた新ビジネス

DX　デジタル化の進展によって社会やビジネスにもたらされる変革（→P12）

かそうつうか：virtual currency

注目

仮想通貨

暗号技術で管理される独立したネット通貨

一般に、中央銀行や公権力が発行したものではないネットワーク上の通貨を指す。紙幣や硬貨の代替として保証されている電子マネーとは異なる。

仮想通貨は、データ通信で不特定多数に対して支払いを行える資産。国家や企業の後ろ盾がない独自の電子通貨であり、日本の「円」や米国の「ドル」など通常の通貨の価値をデータに置き換えた電子マネーとは全く異なる。金融庁は「暗号資産」と呼んで通常の通貨と区別する。

ビットコイン（Bitcoin）など複数の種類があり、いずれも支払いや受け取りにはウォレット（財布）などと呼ばれるアプリを使う。仮想通貨を売買する取引所もある。仮想通貨の取引データは、ブロックチェーンと呼ばれる仕組みで記録され、利用者が分散して管理することで改ざんを防ぐ。

利用者全員が仮想通貨の取引データを管理する

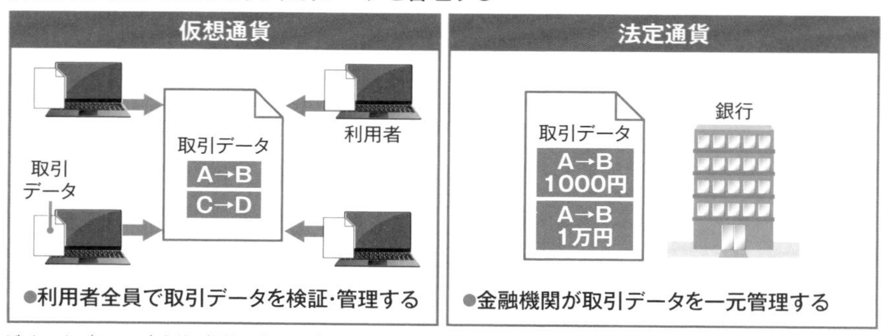

ビットコイン（Bitcoin）などの仮想通貨は、ブロックチェーンという仕組みで利用者全員が取引データを管理する

ワンポイント

海外送金などに便利だが、投機対象として乱高下が激しいので要注意。

これもキーワード

ビットコイン　代表的な仮想通貨。2009年に運用が開始された先駆けでもある
ブロックチェーン　暗号化した取引データのブロックを順番につなげる分散型の台帳
暗号資産　ネット上の仮想通貨を明確に区別するために金融庁が規定した呼び方

ガーファ

GAFA

クラウドサービスを支配するIT企業の最大手4社

米グーグル、米アップル、米フェイスブック、米アマゾン・ドット・コムという、一般向けのクラウドサービスで突出する４つの巨大IT企業をひとまとめにした呼び方。

４社の頭文字を並べたGAFAという略称は日常的に使われている。いずれも、特にコンシューマー市場で最有力の巨大IT企業だ。米マイクロソフトは、コンシューマー市場よりビジネス市場に軸足を置く存在なので含まれていないが、同社を加えたGAFAM（ガファム）という呼び方もある。この５社はプラットフォーマー（プラットフォーム提供者）とも呼ばれ、新たな社会基盤の担い手と見なされている。

一方、中国ではバイドゥ（Baidu）、アリババ（Alibaba）、テンセント（Tencent）の３社が巨大IT企業として存在感を増しており、BAT（バット）と呼ばれる。

国内では、ヤフーの持ち株会社であるZホールディングスとLINEが2021年に経営統合。その背景には、GAFAやBATに対抗し得る巨大IT企業を作りたいという狙いがある。しかし、それでも時価総額はGAFA各社に全く届かない。

巨大IT企業4社が市場に大きな影響力を持つ

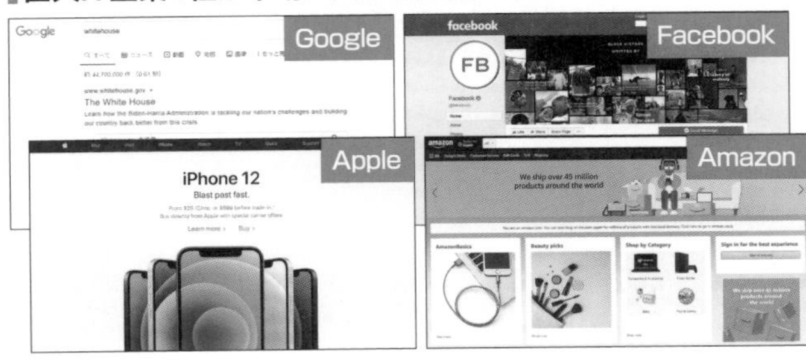

世界の時価総額ランキングで上位を占める一般向けクラウドサービスの最大手４社は、それぞれの頭文字を取ってGAFAと呼ばれる

ワンポイント

**GAFAに対して、事業分割を視野に入れた規制強化を求める声が大きい。**

これもキーワード

GAFAM　マイクロソフトを加えた巨大IT企業５社をまとめたときの呼び方

独占禁止法　公正かつ自由な競争を促進するために、各国が制定している法律

Creative Commons：CC

クリエイティブコモンズ

作品の再利用に関する著作権者の意向表明

作者の権利を守りつつ、煩雑な手続きなしで第三者が作品を再利用できるようにするための仕組み。作者自身が利用条件をマークなどで記載する。

インターネットの普及とともに、自分の作品をWeb上で公開するクリエーターが増え、一定の条件を満たせば自由に再利用しても構わないとする作品も増えた。そこで、作者の権利を守りつつ、煩雑な手続きなしで作品を再利用できるように考案された仕組みがクリエイティブコモンズ（CC）だ。「CCライセンス」ともいう。

作者は、自分の作品の利用条件を「BY（クレジット表示）」「NC（非営利）」「SA（継承）」「ND（改変禁止）」という４種類のマークまたは文字の組み合わせで表現する。

実質的には6通りのライセンスがある

営利目的の利用OK

CC BY
（表示）

クレジット表示：必須
作品の改変：OK

CC BY-SA
（表示ー継承）

クレジット表示：必須
作品の改変：OK（改変した場合も「CC BY-SA」で公開）

CC BY-ND
（表示ー改変禁止）

クレジット表示：必須
作品の改変：NG

自由 ⟷ 厳格

営利目的の利用NG

CC BY-NC
（表示ー非営利）

クレジット表示：必須
作品の改変：OK

CC BY-NC-SA
（表示ー非営利ー継承）

クレジット表示：必須
作品の改変：OK（改変した場合も「CC BY-NC-SA」で公開）

CC BY-NC-ND
（表示ー非営利ー改変禁止）

クレジット表示：必須
作品の改変：NG

クリエイティブコモンズでは６種類のライセンスを規定している。まずは「NC（非営利）」かどうかを確認。「BY（クレジット表示）」はいずれも必須であり、あとは「SA（継承）」と「ND（改変禁止）」の有無の違いだ

クレジット表示（BY）は必須だが、営利目的での使用禁止（NC）、改変の禁止（ND）、改変したときに同じライセンスを継承する必要がある（SA）かどうかは、それぞれの表記の有無によって判断できる。

複雑そうだが、実際の組み合わせは6通りになる。営利目的での利用の可否は最重要なので、それを初めに覚えれば、あとは3種類を区別しておけばよい。「ほかはOK」「ライセンス継承」「改変禁止」の3つだけだ。

「ライセンス継承」とは「CC BY-SA」または「CC BY-NC-SA」であり、いずれも、そのまま同じマークまたは文字を明記して公開しなければならない。勝手に「CC BY」などに変えてはいけない。非営利の「CC BY-NC-SA」なら「NC」を外すことも禁止だ。

作者のなかには、作品の著作権を放棄したいという人もいる。その行為を「パブリックドメインに置く」という。作者の意思によって作品をパブリックドメインに置くための表示として、クリエイティブコモンズに「CC 0」が追加された。

ただし、クリエイティブコモンズは国際的な非営利団体による取り組みであり、法律上の規定とは必ずしも一致しない。著作権の保護期間内に、著作物を完全にパブリックドメインに置こうとすると、実際には複雑な法手続きが必要になる。

CCライセンスに従って正しく再利用する

CCライセンスによる作品の利用例。「BY」があるのでクレジット表示は必須。「SA」があるので元の作品を継承して、同じマークまたは「CC BY-SA」の文字を明記する

ワンポイント

再利用した作品もクリエイティブコモンズの対象になる。

これもキーワード

著作権　著作物を創作した人に発生する権利。著作者人格権と著作財産権がある

クレジット　著作権関連では、作品に表示された作者の氏名やタイトルなどを指す

パブリックドメイン　著作権法に基づく著作権者が存在しない著作物のこと

オンラインかいぎ：online meeting

基本

オンライン会議

インターネット経由で複数の参加者が話し合う

画面に参加者全員の映像を表示しながらビデオ通話のようにやり取りする会議。パソコンやスマホの専用アプリ、あるいはWebブラウザーで利用する。

離れた場所にいる人同士が、ネットワーク経由で会議をすることを、オンライン会議という。オンラインミーティングと呼ばれるジャンルのWebサービスを利用するのが一般的だ。インターネットにつながったパソコンやスマホ、タブレットがあれば、離れた場所にいるメンバー同士でも、ミーティングや会議ができる。

オンラインミーティングのWebサービスには、米ズームビデオコミュニケーションズの「Zoomミーティング」、米シスコシステムズの「Webex Meetings」、米マイクロソフトの「Teams」、米グーグルの「Meet」などがある。一定の人数や時間までは無料で利用できる。有料サービスなら大人数や長時間でも利用可能で、各種の機能が加わる。

いずれも、カメラとマイクを使って全員の顔を見ながら会話できるだけでなく、自分のパソコンで開いている文書を全員の画面に映し出し、資料として提示しながら説明することもできる。実際のホワイトボードのように、表示された画面に参加者が自由に書き込んで共有する機能もある。そのほか、ファイル共有やチャットの機能を併せ持つものが多い。アプリをインストールすることなく、Webブラウザーで会議用のWebサイトにアクセスして参加するこ

オンラインミーティングで同じ場所に集まらなくても会議ができる

主な使われ方

●会議 ●講義 ●飲み会 ●同窓会 ●面接 ●セミナー ●スポーツのオンライン観戦会 など

オンラインミーティングのWebサービスは会議だけでなく、講義や面接、飲み会、スポーツのオンライン観戦会など幅広い分野で利用されている。主催者がいずれかのサービスで会議を設定し、ほかのメンバーは同じサービスで会議に参加する

画面に全員の顔を映しながら進行できる

「Zoomミーティング」の画面表示例。「ギャラリービュー」は全員を均等に表示する。「スピーカービュー」は発言者を自動的に判別して大きく表示する

とも可能だ。

会議を開催するには、主催者がオンラインミーティングのサービスで会議を設定する。画面で「新規ミーティング」などを選び、参加させたい相手を選んで招待状を送る。日時を指定して開催を予約することもできる。招待状を受け取った人は、記載されたリンクから、アプリまたはWebブラウザーで参加できる。

ビジネスでの会議や打ち合わせだけでなく、セミナーや学校のオンライン授業、さらには友人同士やスポーツ観戦会など、プライベートな集まりでもオンラインミーティングは利用されている。

オンラインで開催するセミナーを「ウェビナー（Webinar）」とも呼ぶ。Webとセミナーを組み合わせた造語だ。オンライン会議と同様、講師と受講者が双方向でやり取りすることも可能で、質問はチャットで受け付けるなどのやり方がある。

主要なオンラインミーティング

- **Zoomミーティング**（米ズームビデオコミュニケーションズ）
- **Webex Meetings**（米シスコシステムズ）
- **Teams**（米マイクロソフト）
- **Meet**（米グーグル）
- **LINE グループビデオ通話**（LINE）

いずれも無料での利用が可能。アカウント登録やアプリのインストールが必要な場合もある

ワンポイント

会議の主催者が設定し、参加者は主催者からの招待を受けて参加する。

これもキーワード

バーチャル背景　自分の映像の背景を合成することで自宅のプライバシーを守る
ホワイトボード　実際の黒板やホワイトボードと同様に皆で書き込める共有機能
ウェビナー　オンラインミーティングと同じような仕組みで実施するセミナー

business chat

注目

ビジネスチャット

メッセージングアプリのスタイルをビジネスに特化

オンラインでのメッセージ交換サービスであるチャットの機能を中心とした、業務向けのコミュニケーションサービス。

LINEのように、リアルタイムでのメッセージ交換を主目的としたWebサービスのアプリをメッセージングアプリと呼ぶ。テキストのほか、絵文字やイラスト、写真、動画などのやり取りが可能。利用者同士の無料通話機能もある。

ビジネスチャットは、このような機能を仕事向けに強化したもの。Slack（スラック）やChatwork（チャットワーク）などが主に利用されている。例えば、一つのテーマについて複数の人が意見をやり取りするとき、メールだと多数のメールが行き交って会話の流れが分かりづらくなる。一方、ビジネスチャットならメッセージが時系列に並ぶので、会話の流れが分かりやすく、途中参加でも過去の会話を確認できる。グループでのビデオ通話が可能なサービスは、オンライン会議にも使える。

会話の流れを時系列で確認しやすい

ビジネスチャットとして人気の高いSlackの画面例。参加するメンバーとテキストでのやり取りを中心にコミュニケーションができる

ワンポイント

LINEのような画面でのコミュニケーションは、メールよりも効率的。

これもキーワード

メッセージングアプリ リアルタイムでメッセージをやり取りするアプリ

Slack ビジネスチャットとして人気が高いWebサービスおよびアプリ

workation

ワーケーション

リゾート地のテレワークで社員も地域も活性化

「ワーク」(労働) と「バケーション」(休暇) を組み合わせた造語。リゾート地でのテレワークにより、通勤ラッシュの緩和や地域経済の振興などが期待される。

新型コロナウイルス感染症の影響で、パソコンやインターネットを使って自宅など離れた場所で働くテレワークを実施する企業が増えた。こうした働き方の一形態として、国内外のリゾート地や帰省先、地方などからテレワークを実施する「ワーケーション」が注目されている。リゾート地を楽しみながらサテライトオフィスとして利用するようなイメージだ。

ワーケーションで働く社員は、勤務しつつ早朝や夕方以降の勤務時間外を旅先で自由に過ごせる。社員への効果は、業務への活力向上や家族と出かける機会の増加。地域にとっては、イベントへの参加や施設利用がもたらす経済効果による活性化などが期待されている。

ワーケーションで働く人を受け入れる側の自治体は、新型コロナの影響で落ち込んだ観光事業の振興策として注目している。政府もワーケーションの普及・定着を積極的に後押しする方針だ。2020年7月に開かれた観光戦略実行推進会議では、ワーケーションを「休暇を分散化できる新しい旅行スタイル」として位置付け、環境整備の推進を提言した。

観光地も積極的にアピール

神奈川県の箱根エリアでワーケーションに取り組む宿泊施設を紹介したWebページ(じゃらんnet)

ワンポイント

観光地の振興を狙って行政が後押しする、余暇を兼ねたテレワーク。

これもキーワード

テレワーク 情報機器や通信サービスを利用して、職場以外の場所で働く業務形態

サテライトオフィス 本来の職場から離れた場所に設置されたオフィス

ブイピーエヌ；virtual private network

基本

VPN

インターネットを専用回線のように使う技術

インターネット回線を利用しながら専用線のように安全な環境を実現する技術。セキュリティ上の不安がある公衆無線LANの安全対策としても利用される。

ほかのネットワークと切り離された専用線を用意すれば、不正侵入や情報の流出を防げるが、かなりの費用が掛かる。一方、VPNはインターネットを利用して、専用線に近いセキュリティを持つ通信環境を仮想的に実現する技術。インターネット回線を使いつつ、認証システムや暗号技術を用いてデータを保護するので、基本的には安心して使える。

企業などでは、社外にいる社員が社内のネットワークにアクセスするためにVPNサーバーを設置する。VPN接続のサービスを提供する事業者もある。特に公衆無線LANなど、セキュリティの不確かなアクセスポイントからのインターネット接続を保護する目的で利用される。

VPNサーバーまでの間を厳重に暗号化

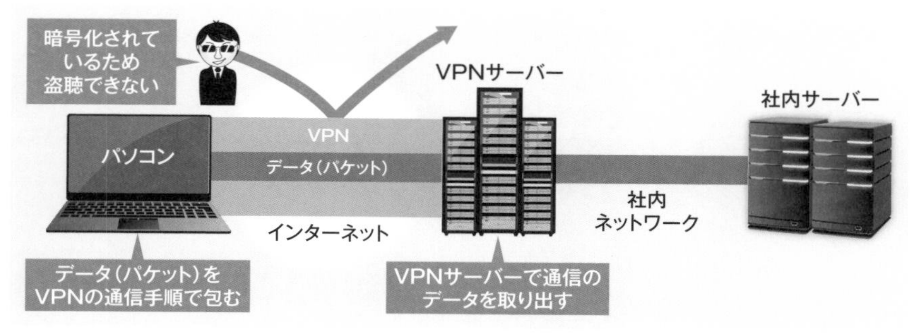

パソコンからVPNサーバーまでの間の通信を暗号化することで、インターネット上の盗聴を防ぐ

ワンポイント

テレワークで社内LANを利用するときは、VPN接続が欠かせない。

これもキーワード

暗号化　情報を一定の規則に従って組み替え、第三者が利用できないようにすること

公衆無線LAN　店舗や公共施設に設置された不特定多数向けのWi-Fi接続サービス

shadow IT

シャドーIT

従業員が会社に無断で業務利用する個人のIT

企業や組織が把握していない状態で、従業員が業務に利用するIT機器やWebサービス。企業や組織にとっては情報セキュリティのリスクになる。

私物のスマートフォンやタブレット、個人として登録したチャットやクラウドストレージ。従業員がこれらを無断で業務に利用することをシャドーITと呼ぶ。企業のシステム部門にとっては、管理が難しいセキュリティ上のリスクだ。

従業員が個人で使用しているIT機器やWebサービスが直ちに危険なわけではない。しかし、利用状況をシステム部門が把握できていない場合、企業として一貫したセキュリティ対策を実施することが難くなる。例えば、スマートフォンのテザリング機能を使って外部ネットワークに接続することで、社内のセキュリティ対策が適用されないという事態が起こり得る。

シャドーIT対策の難しさは、機器やサービスを利用する従業員に悪意はなく、業務をより効率的に進めるために利用している点にある。テレワークが浸透したことで、自宅などで使う私用端末、私用サービスの業務利用を、完全に排除するのはさらに難しくなっている。

一方、従業員にとっては個人所有のIT機器の方が使い慣れているので、業務がはかどる。そのメリットを生かそうとする、「BYOD（ビーワイオーディー、bring your own device）」の考え方もある。

私物のIT機器は管理の目が届きづらい

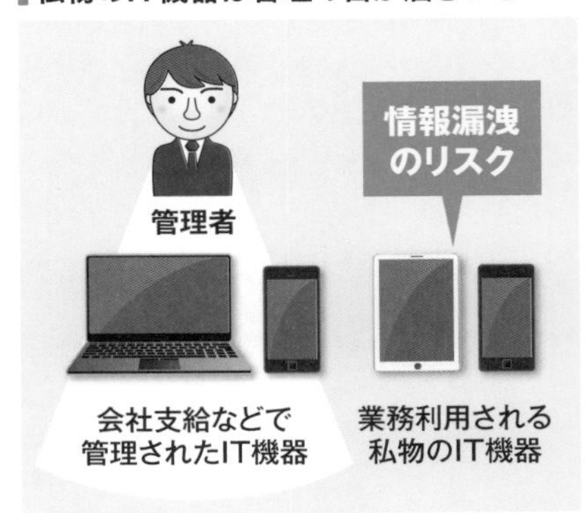

個人所有のIT機器や個人登録のクラウドサービスを業務に使うシャドーITは、管理の目が届きにくい

ワンポイント

シャドーITは使う側に悪意がなくても、重大なセキュリティリスクになる。

これもキーワード

BYOD　個人が所有するIT機器の業務利用を企業が促進するという考え方

ギガスクールこうそう

重要

GIGAスクール構想

小中学校で1人1台の学習者用端末を整備

文部科学省が推進する教育ICT化の構想。1人1台の学習者用端末と校内LANを整備する。一部の自治体を除き、2020年度内に整備がほぼ完了する。

GIGAは「Global and Innovation Gateway for All」の略。全ての児童や生徒のための世界につながる革新的な扉、といった意味になる。

GIGAスクール構想は、小中高等学校などの教育現場で児童・生徒の各自がパソコンやタブレットなどの学習者用端末を活用できるようにする取り組み。2020年度から始まった10年ぶりの学習指導要領の改訂を受けたもので、対象はハード環境の整備だけにとどまらない。デジタル教科書や児童・生徒が個別に集中学習できるAI（人工知能）ドリルといったソフトと、地域指導者養成やICT支援員配備などの外部人材を活用した指導体制の強化を含めた3本柱で改革を推進する。

ここでは学習者用端末の目安として、Windows、Chrome OS、iPadOSという、3種類のOSでの標準仕様を提示している。例えば、Windowsの場合は、発売時期が2016年8月以降のWindows 10 Pro搭載パソコンであり、ストレージは64GB以上、メモリーは4GB以上、ディスプレイは9～14型としている。

Chrome OS搭載のChromebookやiPadを含め、バッテリー駆動は8時間以

GIGAスクール構想の柱となる3つの取り組み

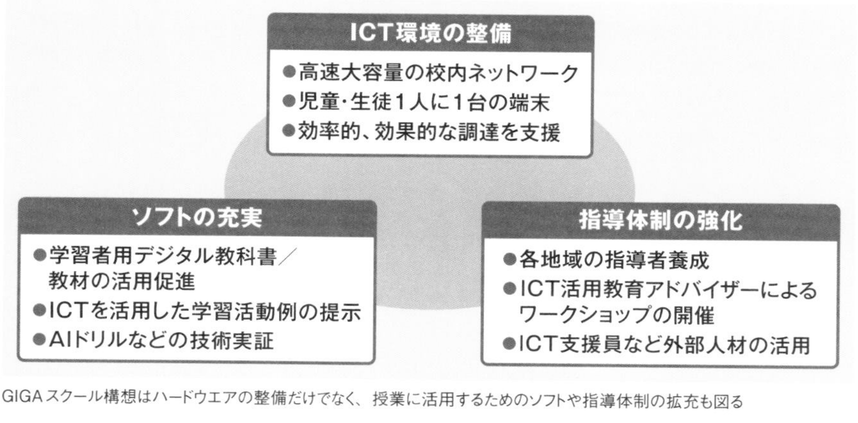

GIGAスクール構想はハードウエアの整備だけでなく、授業に活用するためのソフトや指導体制の拡充も図る

上で重さは1.5kg未満。タッチパネル対応で、Bluetooth接続ではない日本語キーボード付き。無線LANとマイク／ヘッドホン端子、インカメラ／アウトカメラも必須とする。

通信ネットワークとクラウドを活用したWebブラウザーベースの利用を前提としており、大量調達による値引きなどを含めて価格は1台4万5000円程度という。

当初は2023年度までに順次ハード環境を整備する予定だった。しかし、新型コロナウイルス感染症の拡大により、オンラインを活用した授業や学習の必要性が高まったことから、補正予算を活用することで整備のスケジュールを大幅に前倒しした。2021年3月末には一部の自治体を除くほとんどの小中学校で端末の導入が完了する。そのほか、小中高等学校に高速大容量の回線を使った校内LANを整備し、クラウド活用も推進する計画だ。

一方、経済産業省はGIGAスクール構想と歩調を合わせ、学校でのエドテック（EdTech）を推進。エドテックとは、ICTによる教育領域のイノベーションを指す造語だ。エドテック導入補助金として、教育関連ソフトやITを活用した教育サービスを学校などへ導入する事業者に対して、費用の一部を補助する。普及を後押しするのための実証プロジェクト「未来の教室」も進められている。

文部科学省が示した標準仕様（OSがWindows 10 Proの場合）

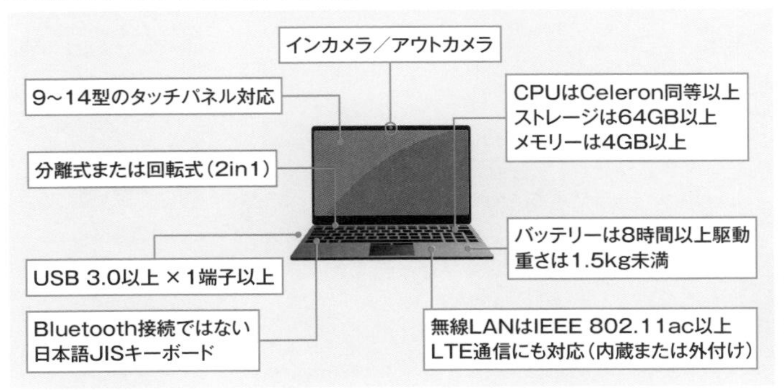

標準仕様書で示されたWindowsの学習者用端末。Chrome OSとiPadOSの場合も記載されている

ワンポイント

小中学校のICT教育が急速に進展する。オンライン授業への対応にも期待。

これもキーワード

エドテック　教育とテクノロジーからの造語で、ICTによるイノベーションを指す

Chromebook　クラウド利用の低価格ノート。小中学校での導入が多い（→P119）

デジタル教科書　タブレットなどで読める教科書。画面書き込みへの対応も必要

じょうほうぎんこう：information bank

注目

情報銀行

本人から預託された個人情報を事業者に提供する

ネットに蓄積される個人情報を有効活用するための新しい仕組み。銀行のように個人から預託された情報を適切な方法で事業者に提供する。

情報銀行はPDS（personal data store）という仕組みを利用し、個人から預託された情報を契約に基づいてほかの事業者に提供する。情報提供を了承した個人は、事業者からポイントや現金といった何らかの便益が供与される。銀行、マーケティング、不動産、情報通信、電力などさまざまな業界の企業が実証実験を開始しており、情報銀行としての具体的な機関を設立する動きも加速している。

日本IT団体連盟は情報銀行の認定制度を運営。プライバシー保護対策や情報セキュリティ対策などが基準を満たすかどうかを審査する。

契約した個人の情報を事業者に対して適切に提供する

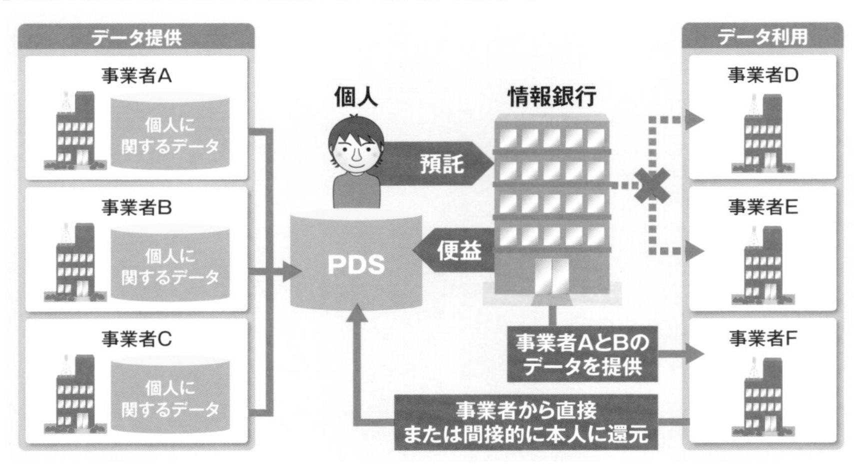

個人はPDS（personal data store）を通じて情報の提供先や内容を自分で管理できる。情報銀行は、個人から預託された情報を適切に管理してほかの事業者に提供する（内閣官房資料を基に作成）

ワンポイント

個人情報活用の新しい取り組み。安心して利用できる枠組みが必要になる。

イースポーツ；electronic sports

eスポーツ

コンピューターゲームの対戦をスポーツとして競う

パソコンなどによる対戦ゲームをスポーツとして捉えた言い方。多くの観客が集まる大会が開催されており、プロゲーマーも登場している。

eスポーツは欧米や東アジアを中心に人気が広がり、大会には多くの観客が集まる。国内では立ち遅れているが、海外では盛んで、賞金総額が30億円を超えるような例もある。

ゲームの内容は、プレーヤー同士が1対1で格闘するもの、複数人でチームを組んで武器を用いて戦うもの、サッカーやバスケットなどで対戦するもの、パズル型のものなど、さまざまなタイプがある。3DのCGを高速に描画できる高性能GPUを搭載したパソコンが多く使われており、メーカー各社からは、ゲーミングPCと呼ばれる製品ジャンルの高スペックなパソコンが販売されている。

eスポーツを一般的なスポーツ競技に加える動きもある。2022年に中国で開かれるアジア競技大会では、陸上競技などと並び正式種目入りが決定。2024年のパリ五輪での採用も検討されている。

eスポーツではプロゲーマーも活躍

eスポーツ大会の様子。競技者のキャラクターにも焦点を当てて観戦者を引き付ける（出典:LoL Esportsの公開動画）

各社が高性能なゲーミングPCを販売

パソコンメーカー各社は高性能なゲーミングPCを販売する。写真はマウスコンピューターの「G-Tune」

ワンポイント

スポーツとしての捉え方は、車の運転技術を競うモータースポーツに近い。

これもキーワード

GPU　画面を描画する専用チップ。グラフィックスチップまたはビデオチップともいう

ゲーミングPC　3Dゲームを軽快にこなせる高性能パソコン。普通の用途にも使える

スマホけっさい；smartphone payment

基本

スマホ決済

スマートフォンを使った2通りの決済方法

紙幣や硬貨なしで支払うキャッシュレス決済で、スマートフォンを利用する方式。非接触ICチップによる電子マネー決済と、コードを読み取るQRコード決済がある。

一般の電子マネーは非接触ICチップを内蔵したプラスチックカードを使う。国内ではFeliCa（フェリカ）チップが一般的で、店舗の読み取り機にカードをかざすだけで決済を実行できる。カードに埋め込まれたICチップが、NFCという近距離無線通信技術で読み取り機と通信する仕組みだ。

スマホでの電子マネー決済は、スマホが内蔵する同じタイプの非接触ICチップを利用する。あらかじめ登録しておくことでプラスチックカードと同じ使い方ができ、自分の銀行口座から指定の金額をチャージしたり、複数のクレジットカードなどを追加登録したりも可能だ。Androidスマホでは「おサイフケータイ」や「Google Pay」、iPhoneでは「Apple Pay」というアプリに各サービスを登録して使う。

一方、QRコード決済では「PayPay」「楽天ペイ」「LINE Pay」などの決済サービスが代表的。利用者は決済サービスの

スマホ決済は2通りに大別できる

スマホ決済には、電子マネー型とQRコード型の2種類がある。モバイルSuicaなどに代表される前者は、FeliCa機能を搭載したスマホでのみ利用可能で、iPhoneでは7以降が対応する。QRコード型は、決済用のアプリを導入して利用する

アプリをスマホに導入して、事前に利用契約をする。店頭では、そのアプリで表示したバーコードを店舗の機器で読み取ってもらうことで決済する。これを利用者提示型やストアスキャン方式などと呼ぶ。店舗が用意したQRコードを、利用者がスマホのカメラで読み取り、自分で金額を入力する方法もある。こちらは店舗提示型またはユーザースキャン方式などと呼ぶ。

店舗提示型の場合、店舗側は印刷されたQRコードをレジ脇などに置いておくだけでよい。クレジットカードや非接触ICチップの読み取り機を導入するよりもコストが低いので、中小規模の店舗でも導入が広がっている。なお、いずれの決済方式でも、利用者はあらかじめ支払いに利用するクレジットカードや銀行口座を登録、または金額をチャージしておく必要がある。

QRコード決済サービスは当初、事業者ごとに独自のQRコードを利用していた。しかしそれでは、店舗が複数の決済サービスに対応する場合、レジ脇に各社のQRコードを並べて設置するなどで面倒が多い上、間違いも起こりやすい。

そこで、各社の決済サービスを利用できる統一QRコードとして「JPQR」が策定された。2019年8月から岩手県、長野県など地域限定の実証実験として店舗への先行導入が行われ、2020年6月には全国の店舗（事業者）を対象に申し込み受け付けが始まった。

総務省が経済産業省と連携して普及事業を進めており、大手を含む多数の決済サービスがJPQRに対応する。海外決済サービスの「UnionPay」「WeChat Pay」も加わる。JPQR対応後も利用者は従来通り、決済サービスごとのアプリでコードを読み取ればよい。

各社が対応する統一QRコード

JPQRによる店舗提示型QRコードの案内パネルの例。一つのQRコードで複数の決済サービスに対応でき、レジ周りでスペースを取らない

ワンポイント

店頭で使いやすいのは電子マネー。QRコード決済は店舗側の対応が容易。

これもキーワード

FeliCa　国内で広く普及する非接触ICチップの技術。電子マネーなどで利用する

NFC　数cm程度の近距離で利用する無線通信。触れる程度で通信する（→P131）

QRコード　縦方向と横方向に情報を持たせた図形で表示する2次元コード

シックスジー

6G

2030年代の実用化を目指す次世代データ通信

Beyond 5Gなどの呼び方で議論が進んでいる、第5世代移動通信システム（5G）の次世代技術。2030年代の導入を見据えて、総務省が政策を検討している。

総務省は2020年6月、6Gの導入が見込まれる2030年代の社会に求められるサービスや技術、それらを実現するための政策のロードマップを発表した。サイバー空間との情報のやり取りが飛躍的に増大し、それを支える通信技術として6Gサービスが必要と説明。基礎段階から国費による集中的な支援を実施するという。

データ通信サービスは世代ごとに用途が拡大

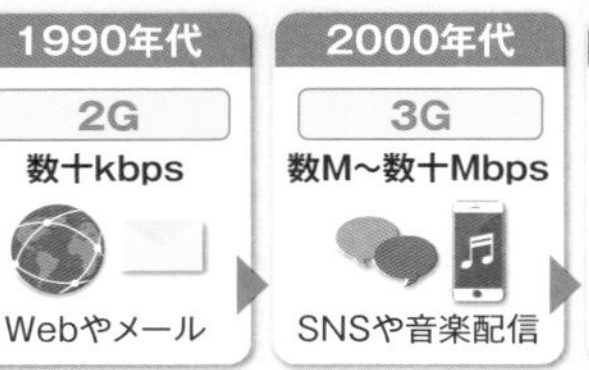

携帯電話の普及期から現在に至るまでのデータ通信サービスと用途の変化。ほぼ10年置きに主流が移り、用途も広がってきた

Beyond 5Gとしてさらなる高度化を目指す

Beyond 5G	さらなる高度化	超高速・大容量	5Gの10倍
		超低遅延	5Gの1/10の低遅延
		超多数同時接続	5Gの10倍
	機能の付加	超低消費電力	現在の1/100
		超安全・信頼性	セキュリティの常時確保
		自律性	機器が自律的に連携
		拡張性	あらゆる場所での通信

次世代の通信規格には、5Gの特徴を高度化しつつ、新たな価値を生み出す新機能も期待されている（総務省の資料を基に作成）

ワンポイント

6Gに向けて国際競争力のある中核技術の開発を行政が支援する。

これもキーワード

5G　5番目の世代（generation）。データ通信では2020年春にサービスが始まった

subscription

基本

サブスクリプション

ネットのサービスは継続的な定額支払いが主流に

製品やサービスを一定期間ごとに定額料金を支払って利用する方式。動画配信や音楽配信などのWebサービスのほか、ビジネスアプリでも一般的になった。

サブスクリプションはもともと雑誌などの定期購読を意味する言葉だったが、月単位や年単位で課金するアプリやサービスの契約形態も指すようになった。サブスクという略称も広まっている。

ネットの音楽配信や動画配信でのサブスクリプション方式は既に一般的であり、ビジネスアプリでもこの方式への移行が顕著だ。例えば、米マイクロソフトのOfficeアプリは、Microsoft 365というWebサービスと組み合わせたサブスクリプション方式での提供が中心になりつつある。

近年はIT関連に限らず、さまざまなサービスがサブスクリプション方式を採用。飲食店や美容・ファッション、カラオケなど、幅広い業種で登場している。

サブスクリプションはモノのサービス化という流れにつながる

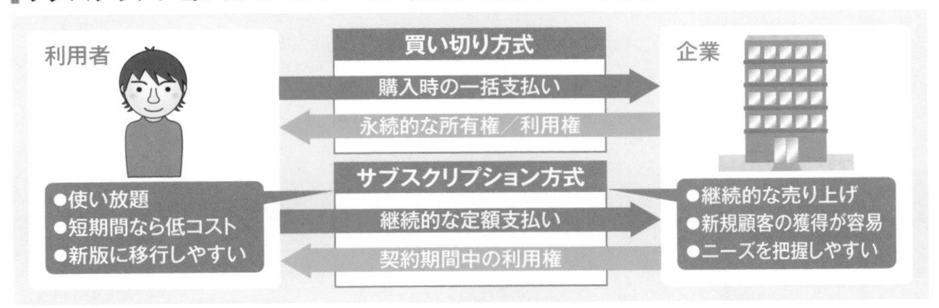

買い切り方式とサブスクリプション方式の主な違い。所有せずにサービスとして利用するという生活様式の変化でもある

ワンポイント

所有よりも利用を重視するという考え方の転換が根底にある。

これもキーワード

XaaS　全てのモノや機能をサービスとして提供するという考え方 (→P19)

Microsoft 365　WordやExcelなどのアプリ含めた定額制のWebサービス (→P64)

動画配信　映画やテレビ番組などをインターネット経由で視聴できるサービス (→P68)

おんせいアシスタント；voice assistant

人気

音声アシスタント

音声での命令や質問にAIが受け答えをする

利用者からの問い合わせや命令を、自然な会話の音声で受け答えする機能。スマホやパソコンから利用できるほか、スマートスピーカーなどの機器で利用する。

音声での質問や命令を受け取り、それに対する応答や操作を実行する機能を擬人化した呼び方。利用者の音声を認識・解析して動作する。AI（人工知能）の技術を利用していることからAIアシスタントとも呼ぶ。スマホやタブレット、パソコン、スマートスピーカー、スマートディスプレイなどの機器で利用できる。

音声アシスタントとして最初に注目されたのは、2011年発売のiPhone 4Sに搭載された米アップルのSiri（シリ）。その後、2014年に米アマゾン・ドット・コムが、音声アシスタント対応のスマートスピーカー製品を米国で発売。国内では2017年にLINE、アマゾン、米グーグルが、それぞれの音声アシスタント対応のスマートスピーカー製品を相次いで発売した。

音声アシスタントは、基本的にメーカー各社のユーザーアカウントでログインをしてから使い始める。音声の認識や理解、応答の生成などはクラウド側で処理する。使い続けることで音声アシスタントが情報

スマートフォンやスマートスピーカーで使える

音声アシスタント機能は主にスマホやスマートスピーカーで利用する。画面付きのスマートディスプレイもある。音声アシスタントの種類が同じなら、どの機器からでも同じ利用者として応答する

を蓄積し、利用者に応じたきめ細かい応答が可能になっていく。例えば、連携するWebサービスにスケジュールを登録しておくことで、利用者に予定を告げるなどの使い方もできる。同じユーザーアカウントなら、複数の機器から利用しても、音声アシスタントは利用者が同一人物であるとして応答する。

さまざまな騒音や音声が飛び交う中、音声アシスタントが自分への呼び掛けを自動で判断するのは難しい。そこで、ウエイクワードという固有の呼び方が設定されている。音声アシスタントはウエイクワードを認識することで、以降の呼び掛けに応答する。ウエイクワードは音声アシスタントごとに決まっており、「アレクサ」「オーケー、グーグル」「クローバ」「ヘイ、シリ」「コルタナさん」などの言い方になる。

なお、ウエイクワードは機器本体で認識して、その次からの音声をクラウドに送信する。一部の機器ではボタンを押すなどで、ウエイクワードなしで受け答えを開始できるタイプもある。

利用者の多い音声アシスタントの一つはアマゾンのAlexa（アレクサ）。音声で同社の通販サイトを利用できるなどの特徴がある。同社のスマートスピーカー製品Echoシリーズのほか、Fireタブレットなど各種の製品で利用できる。スマホやパソコン用のアプリとしても提供されている。

IT系の大手メーカーによる代表的な音声アシスタント

メーカー	名前	主なウエイクワード	標準搭載のOS	概要
米アマゾン・ドット・コム	Alexa	アレクサ	Fire OS	搭載機器が多い。多くの他社製品が対応
米グーグル	Google アシスタント	オーケー、グーグル	Android、Chrome OS	搭載機器が多い。グーグルのWebサービスと連携
LINE	Clova	クローバ	―	LINEアプリとの連携が可能
米アップル	Siri	ヘイ、シリ	iOS、iPadOS、macOS	iPhoneなどで長い実績
米マイクロソフト	Cortana	コルタナさん	Windows 10	実質的にWindows 10専用

さまざまな機器で利用されている音声アシスタント。他社製品が採用する例もある

ワンポイント

赤外線リモコン用の家電コントローラーがあれば、家電も操作できる。

これもキーワード

スマートスピーカー　Wi-Fi経由でネットの音声アシスタントを使えるスピーカー製品
ウエイクワード　スマートスピーカーに最初に呼び掛ける言葉。一定の決まりがある
スマートディスプレイ　画面付きの音声アシスタント対応機器（→P42）

smart display

最新

スマートディスプレイ

画面付きのスマートスピーカーで用途拡大

スマートスピーカーに小型ディスプレイを組み合わせた製品。検索結果や新着ニュースなどを画面に表示する。動画再生やビデオ通話にも使える製品が多い。

音声によるやり取りで情報を検索したり、音楽を再生したりできるスマートスピーカーに、タッチパネル式のディスプレイを一体化させた情報機器。スクリーン付きスマートスピーカーという呼び方もある。画面に検索結果を表示するほか、再生中の音楽の歌詞なども表示できる。動画の再生やビデオ通話にも対応する製品が多い。

音声アシスタントで対話をしながら各種の操作をする点は、スマートスピーカーと同じ。Wi-Fi経由のインターネット接続が前提であり、各種の処理はクラウド側で行われる。定額制の音楽配信サービスを契約すれば、音声で指示した楽曲を自由に再生できる。そのほか、デジタルフォトフレームとしても使える。

グーグルの定番サービスと連携できる

米グーグルの「Nest Hub」。この製品は7型画面。YouTube動画を表示させるなどの使い方もできる

通話中は人物を自動で追尾する

アマゾンジャパンの「Echo Show 10」。画面は10.1型。ビデオ通話中は利用者を追尾する機能がある

ワンポイント

画面を備えることで音声アシスタントからの情報が豊富になる。

これもキーワード

- **Nest Hub**　グーグルのスマートディスプレイ。Nest Hub Maxなどもある
- **Echo Show**　スマートスピーカー製品Echoシリーズのディスプレイ付きタイプ
- **デジタルフォトフレーム**　指定した写真をスライドショーとして自動で表示する機器

smart watch

スマートウオッチ

人気

腕時計としても使える多機能な小型情報機器

普段は時計の盤面を表示し、メッセージの着信があればその内容を自動で表示する。手首に接触することで、心拍数なども常時計測できる。

Bluetoothなどの無線通信機能を内蔵したタイプが主流であり、普段は腕時計として使いながら、スマホと連携することでメールやSNSの受信、通話、各種アプリの利用などができる。GPSや3軸センサーで移動速度や運動量を計測したり、心拍センサーや睡眠測定の機能などで健康状態を管理したりできる製品も多い。

一方、運動量の計測を主目的にした小型機器を、活動量計またはアクティビティモニターと呼ぶ。多機能なリストバンド型の製品が多く、スマートウオッチの機能や外観をシンプルにした廉価版のような使い方ができる。

Apple WatchはiPhoneと連携

第6世代のApple Watch（米アップル）。Bluetoothで iPhoneと連携して各種の通知を表示するほか、運動量や心拍数などを測定できる

運動量の計測や電子マネーにも対応

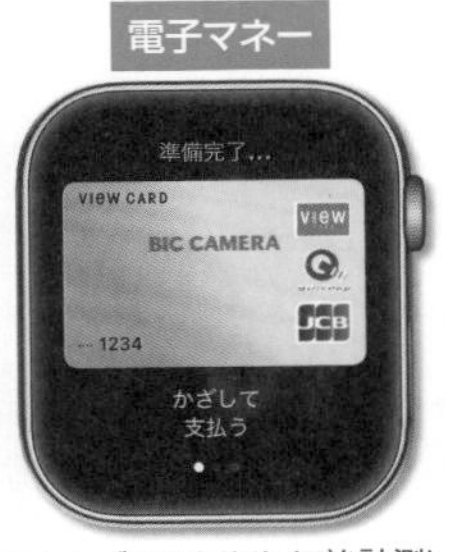

Apple Watchの画面表示例。ランニングやエクササイズを計測してデータを収集できる。Suicaなどの電子マネーにも対応し、読み取り機にかざすだけで支払いができる

ワンポイント

スマホを取り出すことなく新着情報を確認。健康管理にも役立つ。

これもキーワード

Apple Watch　アップル製でiPhoneと連携するスマートウオッチ

Wear OS by Google　Androidスマホと連携するスマートウオッチ用のOS

活動量計　歩数や心拍数を計測できる小型機器。リストバンド型が多い

social media

注目

ソーシャルメディア

誰もがインターネットで自由に発信するメディア
インターネットを通じたコミュニケーションによって形成される情報メディア。SNSや情報サイトなどで、利用者が投稿したコンテンツを共有する。

FacebookやTwitter、Instagramなど、個人が気軽に情報を発信し、簡単に交流できるSNS（ソーシャルネットワーキングサービス）。これらをメディアとして捉えた呼び方がソーシャルメディアだ。

本来のSNSは、友達申請／承認、フォローなどの関係で利用者同士が結び付きを広げながらコミュニケーションを深めるための手段。一方、不特定多数の人々に対して広く情報を発信したり、人々の投稿やそれに対する意見を情報として収集したりもできることから、テレビ、ラジオ、新聞、雑誌などのマスメディアとは別の、新しいメディアとしても認知されている。

情報の発信や収集のためのWebサービスという点から、YouTubeやTikTokなどの動画投稿サービスもソーシャルメディアに含まれる。それぞれのWebサービスでは、テレビなどで活躍する著名人に匹敵するような人気者も登場。周囲への影響力が大きい人物をインフルエンサーと呼ぶが、ソーシャルメディアで影響力を持つ

既存のマスメディアとソーシャルメディア

ソーシャルメディア

SNS
Twitter
Instagram
Facebook
YouTube
など

ブログ
情報サイトのユーザー投稿／レイティング
Wikipedia
など

個人の自由な発言と賛否の意見
●個人や団体としての自由な情報提供とコメント
●支持者の多い情報発信者ほど影響力がある
●メジャーからニッチまで雑多な話題が行き交う

マスメディアとソーシャルメディアの大まかな特徴。マスメディアが発信した情報をソーシャルメディアが拡散する、あるいは、ソーシャルメディアで話題になった情報をマスメディアが取り上げるなどの相互作用もある

人を指す場合が多い。

既存のマスメディアでもソーシャルメディアの影響力は無視できない。ソーシャルメディアからの話題を取り上げたり、報道番組で動画配信サイトの投稿映像を使用したりするのは日常茶飯事だ。マスメディアが運営する情報サイトにも、それぞれの記事ページに、閲覧者がSNSで手軽に引用できるような仕組みが用意されている。

情報拡散力があり、費用対効果を測定しやすい広告メディアとしての利用も急増している。SNSの投稿内容で市場のニーズや反応を分析するソーシャルメディア・マーケティングという取り組みもある。

一方で、SNSなどに投稿された誤った情報が拡散されて風評被害を受けたり、心ない誹謗中傷がその対象者をおとしめたりする事例も後を絶たない。メディアとしての影響力が増しているだけに、負の側面も顕著になっている。

こうした問題への対策として、政府はSNSやWebサイトを運営するコンテンツプロバイダーなどに対する「発信者情報開示」制度の見直しを検討。2002年に施行されたプロバイダ責任制限法は、匿名の加害者の特定情報を知る手段として「発信者情報開示請求権」を定めているが、開示までのハードルは非常に高い。これをより簡便にすることで、被害者の救済や抑止力の向上につながると期待されている。

情報サイトはソーシャルメディアへの波及効果を狙う

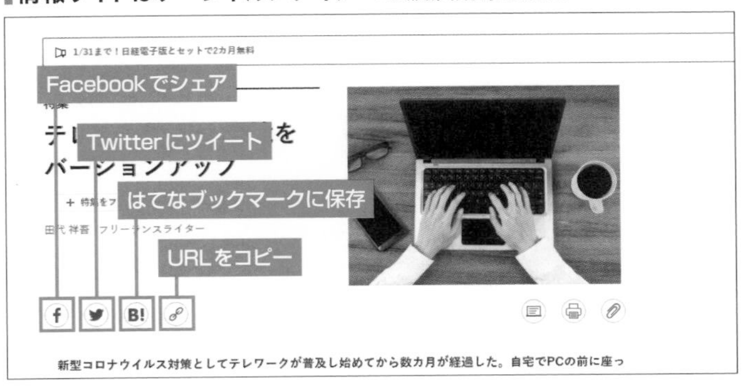

多くの情報サイトは、ソーシャルメディアへの波及効果を期待し、SNSでの紹介を促すようなボタンを、各記事のWebページに配置している

ワンポイント

有用な情報を得られるが、玉石混交でフェイクやデマも少なくない。

これもキーワード

フォロー　SNSで特定の投稿者に注目するための仕組み。相手の承認は不要

いいねボタン　投稿への共感や賛同を表明する仕組み。注目度を示す指標にもなる

発信者情報開示請求権　中傷被害などに際して、匿名投稿者の特定を可能にする

hash tag

ハッシュタグ

ネット投稿に付けてアピールする検索キーワード

TwitterやInstagramなどで、投稿やコメントに付加するタグ。「#」記号の後にキーワードを続ける。同じタグの投稿やコメントはまとめて表示されやすくなる。

SNSなどで利用されている、自身の投稿やコメントが検索されやすくするための手法。例えば「#テレワーク」というハッシュタグを付けて投稿すれば、同じハッシュタグの付いたテレワーク関連の投稿と一緒に、ほかの利用者の目に触れやすくなる。

多くの投稿者は、ほかの人の投稿に含まれているハッシュタグを参考にする。そのため、同じ話題には共通のハッシュタグが使われやすい。面識のない投稿者同士が、ハッシュタグを利用して意見を交わすといった使い方もある。

イベントなどでは注目度を高めるため、参加者や関係者に対して、SNSに投稿する際は特定のハッシュタグを付けるように要請することが多い。

ハッシュタグを付けた投稿は検索されやすくなる

投稿にハッシュタグが付いていれば、同じハッシュタグが付いたほかの投稿と一緒に目に触れやすくなる

ワンポイント

ハッシュタグの付け方次第で、自分の投稿の拡散されやすさが変わる。

これもキーワード

Twitter 短い文章の投稿をメインにしたSNS。投稿の文字数制限がある

Instagram 写真投稿用のSNS。写真を加工する機能が豊富なのも特徴

chat bot

チャットボット

自然な会話でメッセージを自動投稿するAI

対話（チャット）するロボットを意味する造語。メッセージングアプリでは、利用者からの質問やコメントに対するメッセージを自動投稿する機能を指す。

国内では、定型的でシンプルな内容の受け答えをするためのシステムとして導入する例が多い。操作手順の案内や受け付けの応答など、従来はコールセンターなどで対応していた定型業務を中心に、チャットボット採用の事例が増えている。メッセージングアプリのLINEには、企業が利用者とやり取りできる公式アカウントという仕組みがあり、公式アカウントの投稿にチャットボットが利用される例もある。

そもそも、テキストや音声を使って人との会話をシミュレートするという取り組みは、コンピューターが人間に対して、どれだけ自然な形で応答できるかという研究だった。自然言語処理の技術が進歩し、クラウドによるAI（人工知能）処理が加わったことで、現在のレベルに発展した。スマートスピーカーなどで使われる音声アシスタントも、ほぼ同じ技術に基づいている。

単にボットとも呼ばれる。ただし、これはロボットの略であり、インテリジェントな機能を備えた自動システム全般を指す言い方になる。

自然な応答で利用者とやり取り

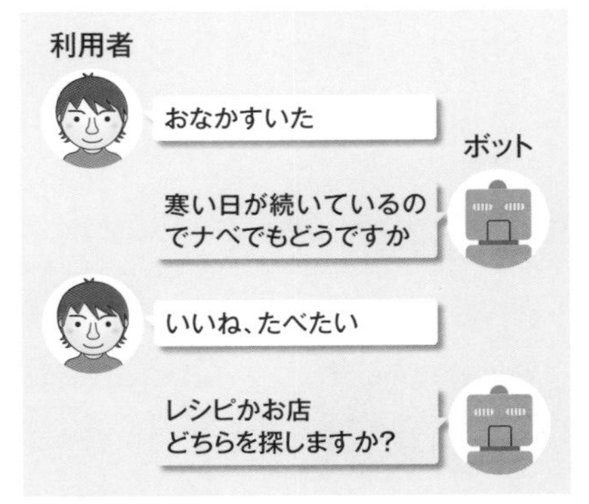

チャットボットとの会話のイメージ。ボット側は利用者からの投稿を解析し、AI処理などで自然な応答文を生成する

ワンポイント

AIとの会話では、的確な内容の応答が返ってくる率が高まっている。

これもキーワード

チャット　リアルタイムでやり取りするネット経由のコミュニケーション
音声アシスタント　スマートスピーカーなどで使われる音声応答機能 (→P40)
自然言語処理　日常的な言語（自然言語）をコンピューターで処理する技術

affiliate

アフィリエイト

ネット投稿の広告から誘導して成果報酬を得る

ブログなどの記事や投稿に広告を掲載し、閲覧者が広告のリンクをたどって商品を購入したときなどに、顧客を誘導した成果として報酬を得られる仕組み。

ある閲覧者が特定のリンクをクリックして別のWebページを表示させたとき、訪れた先のWebサイトでは、クッキーなどの仕掛けにより、その閲覧者の行動を知ることができる。アフィリエイトはこういった方法で確認して、広告主が広告掲載者に報酬を支払う仕組みだ。

広告のクリックが商品購入やサービス申し込みに直結したときに報酬が発生するタイプのほか、広告がクリックされた時点で報酬が発生するクリック保証型、広告が表示された時点で報酬が発生するインプレッション保証型などがある。

例えば、アマゾンジャパンのアフィリエイト広告を掲載する場合、まずはアマゾンでアフィリエイト専用のアカウントを作成する。そのアカウントが承認されたら、用意されたアフィリエイト管理画面で、広告を表示するためのデータを入手。それをブログの記事に貼り付ければよい。

アフィリエイトで報酬が得られるまでの流れ

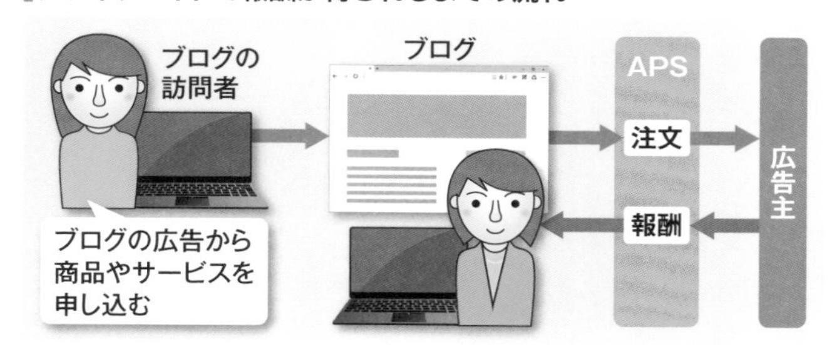

アフィリエイトの基本的な流れ。ASP（アフィリエイト・サービス・プロバイダー）と呼ばれる事業者が仲介する場合が多い

ワンポイント

 **投稿したWebページの有益なコンテンツが広告の効果を高める。**

これもキーワード

ブログ　定型的なデザインで日記のように時系列に掲載していくWebサイト

クッキー　Webサイトが利用者のWebブラウザーに保存する識別情報 (→P70)

vlog

最新

ブイログ

ブログのような楽しみ方の動画投稿

動画ブログ（video blog）を意味する造語。日記のような身近な動画を日々投稿するタイプを指す。投稿先としてYouTubeも利用されている。

動画投稿サイトYouTubeで、高い人気を集める動画制作者をユーチューバー（YouTuber）と呼ぶ。投稿した動画の閲覧に伴う広告表示で、YouTubeの運営元である米グーグルから報酬を得られる仕組みがある。チャンネルの登録者数と再生回数の多さで、突出した金額の収入を得るユーチューバーもいる。

一方、ブイログでは、投稿者が友達とやり取りするような日常的な内容の動画が多い。日記のような文章を日々投稿して積み重ねるブログの動画版という位置付けになる。ブイログ動画の投稿者をブイロガー（vlogger）と呼ぶ。

YouTubeに投稿される動画にもブイログは多く、ブイロガーとユーチューバーを区別する明確な境界はない。動画投稿者の姿勢の違いといえるだろう。

ブイログは日常を楽しむのが目的

ブイロガー（vlogger）

各種の動画投稿サイトを利用。日常生活を記録して楽しむことが主な目的

ユーチューバー（YouTuber）

YouTubeに動画を投稿し、動画の再生回数を増やすことで収入と人気を得る

ブイログ投稿者（ブイロガー）とユーチューバーの違い。実際には重なる部分もある

ワンポイント

再生回数の多さよりは人々からの共感を重視する動画投稿。

これもキーワード

ユーチューバー　YouTubeへの動画投稿で人気と収入を得る動画制作者

TikTok（ティックトック）　短い動画を投稿するSNS。ブイログでの利用も多い

deep learning ／きかいがくしゅう；machine learning

重要

ディープラーニング／機械学習

精度の高いパターン認識を自動学習で実現

データから特徴的なパターンを捉えて自動識別を可能にする学習機能。精度を高めたものがディープラーニングであり、その前提となる仕組みを機械学習と呼ぶ。

近年、画像認識や音声認識、ゲームなどの分野で、AI（人工知能）が人間に勝る成果を出す例が増えている。こうしたAIのブレークスルーを実現したのが、ディープラーニングの技術だ。与えられたデータから特徴や法則を自動で抽出する機械学習の精度を高めたものであり、脳の神経回路をモデル化した多層のニューラルネットワークを使う。ニューラルネットワークは古くからある技術。コンピューターの処理性能が向上したことで実用レベルでの多層化が可能になった。

ディープラーニングは現在、画像認識や音声認識、自然言語処理、各種のレコ

AIを実現する機械学習と深層学習

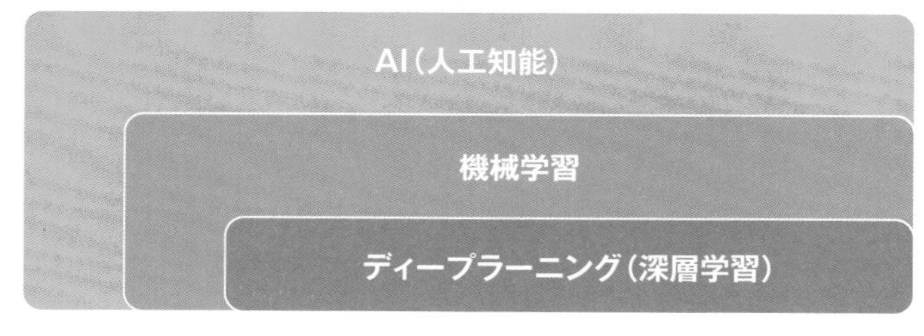

AI（人工知能）を実現する技術の一つとして機械学習がある。多層化によってその精度を高めたのがディープラーニング（深層学習）だ。高度なパターン認識が可能になる

多層のニューラルネットワークで学習と認識を実行する

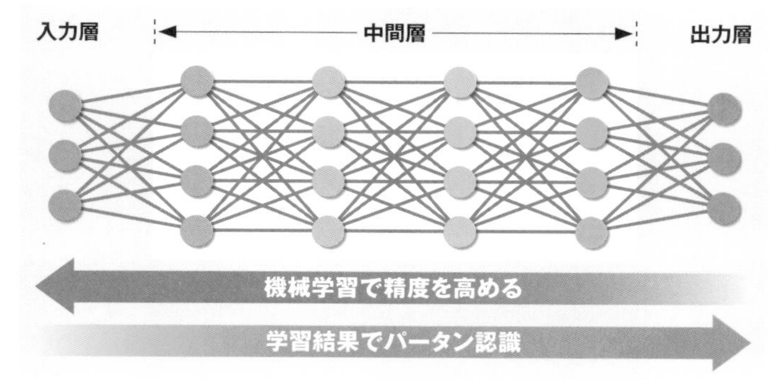

ニューラルネットワークは、脳の神経回路を模した演算処理。脳の神経細胞であるニューロン同士を結んでいる重み付けを自動的に調整することで、入力に対する出力を最適化する。ディープラーニングは複数の中間層を持つニューラルネットワークで学習する

メンデーション（推奨）といった分野で広く利用されている。今後は、自動運転や金融トレーディングなどの分野にも応用が進むと考えられている。

そもそも機械学習では、膨大なデータをコンピューターに読み込ませて学習させる。「教師あり学習」「教師なし学習」「強化学習」という主に３通りの方法がある。

教師あり学習では、事前に正解／不正解のラベルを付けたデータを使う。コンピューターがデータを比較し、その特徴を分析して違いを学習する。一方、教師なし学習には正解／不正解のラベルがない。データの中から、コンピューターが共通の特徴を見つけてグループ分けを繰り返すことで、新しいデータがどのグループに入るかを判断できるようにする。

強化学習では、例えばランダムにゲームを行わせて、勝ったときだけその手順を記憶するという学習を繰り返す。

膨大なデータを読み込んで分析を繰り返す機械学習

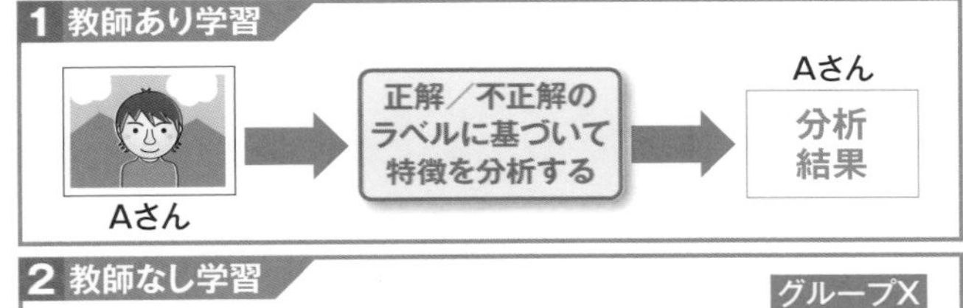

機械学習には主に「教師あり学習」「教師なし学習」「強化学習」の３通りがある。教師あり学習では、例えば「Aさん」というラベルの付いた写真とそれ以外の写真をコンピューターに多数読み込ませて、その特徴を分析・学習させる。教師なし学習では、ラベルの付いていないデータの中からコンピューターが共通の特徴を見つけてグループ分けしていく。強化学習は、何度も試行錯誤を繰り返しながら正解を学習していく

ワンポイント

パターン認識を実行する速度と規模は、人間以上のレベルも可能に。

これもキーワード

パターン認識　雑多な情報を含むデータから特徴を抽出して識別する技術

ニューラルネットワーク　人間の脳を模した処理の仕組み。機械学習で利用される

ディープフェイク　ディープラーニングによる合成技術で作られた偽物の映像

エーアイ；artificial intelligence；じんこうちのう

基本

AI（人工知能）

知能をコンピューターで実現する研究とその実用化

コンピューターで人間のような認識や判断などを実現するための技術全般を指す。近年はニューラルネットワークによるパターン認識の実用化例が多い。

AI（人工知能）とは何か。これについてはAI分野の研究者同士でも意見が分かれる。共通する認識は「人間くらいに賢いものを作ること」だ。

現在のAIブームをけん引しているのは、AI技術の一つであるディープラーニング（深層学習）。これはニューラルネットワークという、脳の神経回路を模した演算処理による学習方法の一つ。複数の中間層を持つのがディープであるゆえんだ。

情報処理システムのAIでは、米IBMのWatson（ワトソン）が知られている。そもそものWatsonは、2011年に米国でクイズ王になった質問応答システムであり、その後の拡張と関連技術の統合により、同社のAIシステム開発基盤として位置付けられた。開発されるアプリケーションは、処理の内容に応じてさまざまなAIの機能が使われており、知識ベースとして整備されたデータを利用する。

一方、ヒューリスティック（heuristic）こそがAIだという主張もある。これは発見的、経験則的、試行錯誤的などの意味。その前提で言えば、研究開発段階の技術

身近なところでAIが使われている

スマートスピーカー

スマートスピーカーは、クラウドの音声アシスタントがAIで応答する

写真アプリでの検索

Googleフォトでは、保存した写真をAIで分析し検索などに活用する

フリマアプリ出品補助

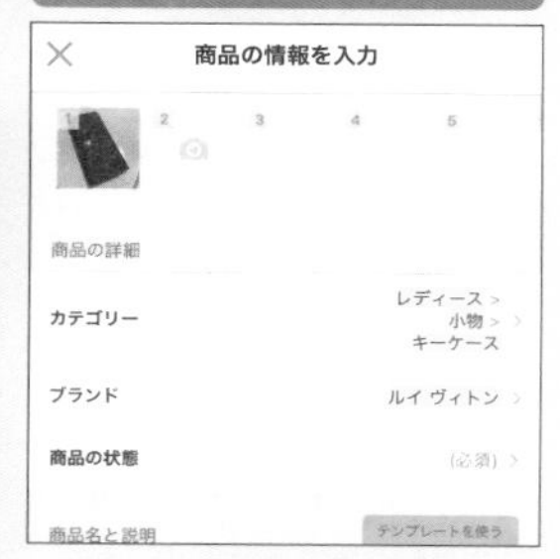

メルカリの「AI出品」は出品写真を自動認識して登録作業を軽減する

AIの技術は、IT機器やWebサービスなどさまざまな形で、日常生活や仕事を支えている

こそがAIということになる。

実際、コンピューターの歴史を振り返ると、従来にない手法で開発された新技術で、当初はAIと呼ばれていたものが少なくない。パソコンで日本語を入力するための変換機能をAIと呼んでいた時期もあった。

一方、AIの未来に関するキーワードはシンギュラリティ（特異点）。AIが人間の知性を超える大きな変化が、2045年ごろに訪れるという主張だ。その理由の一つは、狩猟社会から農耕社会、工業社会、情報社会という、過去の特異点の間隔が、指数関数的に短くなっていること。もう一つは「半導体の集積率は18カ月で2倍になる」というムーアの法則。コンピューターの処理能力が爆発的に高まり、自律的に作成されるプログラムが、人知を超えるかもしれない、という考え方だ。

AI研究と実用化の歴史は長い

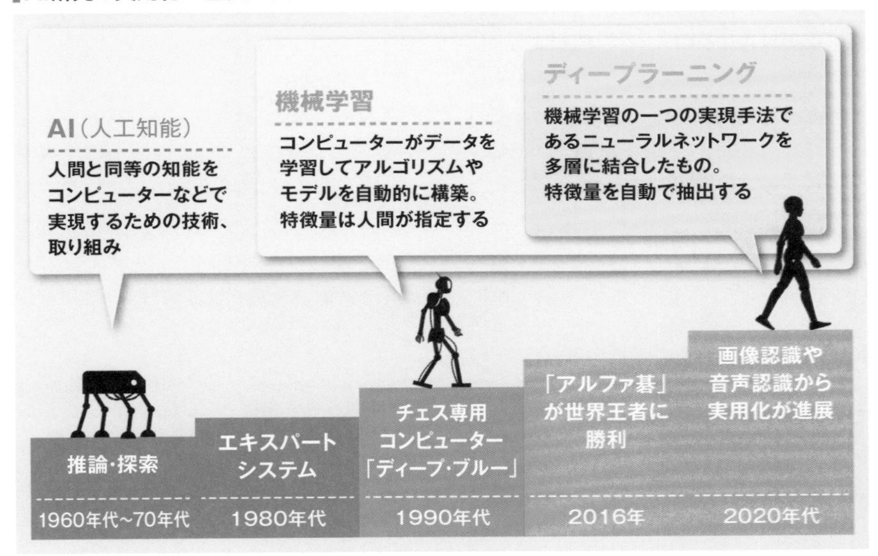

コンピューターの黎明（れいめい）期からAIの研究は始まっており、AIブームと呼ばれた時期は過去にもあった。機械学習はAIの一部であり、ディープラーニングは機械学習の実現手法の一つだ

ワンポイント

人間の知能を目指した研究開発。現段階では用途が限定されたAIが多い。

これもキーワード

ディープラーニング　高精度な機械学習。コンピューターが自律的に学習する（→P50）

シンギュラリティ　時代の特異点。AIによる特異点が2045年ごろに訪れるとされる

エーアイチップ；AI chip

最新

AIチップ

AI処理の専用回路をCPUに組み込む

パターン認識のための演算処理を高速に実行する。描画を受け持つGPUのような位置付けであり、CPUの一部として組み込まれる例が多い。

AIチップは、AI（人工知能）を利用した機能やアプリの処理を実行することが目的であり、パターン認識に最適化された回路になる。主に、CPUの内部を構成するブロック（コア）の一つとして搭載される。AIの処理を受け持つことで、CPUの負荷を軽減する。NPU（neural processing unit）とも呼ばれる。

パソコン向けのCPUでは、米インテルが2021年第1四半期出荷の第11世代Coreシリーズに「GNA 2.0」というNPUを搭載した。米アップルも、独自開発のARM系CPUであるAppleシリコンM1に「Neural Engine」というNPUを搭載。M1を採用した新型Macを2020年11月に発売した。

これらのNPUはCPUの内部で、主に画像認識や音声認識などへの利用が想定される。例えばスマートフォンに搭載されるNPUは、カメラで撮影した人物写真の背景をぼかす処理の際に、人物と背景を判別する部分などを受け持つ。

AIチップ（NPU）を搭載した最新CPUが登場

	米インテル	米アップル
NPUの名称	GNA 2.0	Neural Engine
搭載CPU	第11世代Core シリーズ	M1および A11 Bionic 以降の同社製CPU

米インテルの第11世代Coreシリーズには「GNA 2.0」、米アップルのM1には「Neural Engine」と呼ぶNPUがそれぞれ組み込まれている。左の写真はアップルのM1。2020年11月発売の新型Macから搭載され始めた

ワンポイント

パターン認識に最適化された演算回路で、CPUの負荷を軽減する。

これもキーワード

NPU　AIチップのこと。主に、CPUを構成するブロックの一つとして搭載される

マルチコア　1つのCPUが複数のコア（演算回路のブロック）を搭載すること（→P114）

edge computing

エッジコンピューティング

利用者の近くにサーバーを配置する分散処理

クラウドに処理が集中することで生じる遅延を防ぐため、利用者に近い場所に設置したサーバーでも処理を実行し、全体での負荷の分散を図るという考え方。

エッジは端を意味する英語であり、ここではコンピューターネットワーク上の利用者に近い場所を指す。クラウドコンピューティングでは、サーバーを集約することでコストを低減して運用効率を高める。しかし、ネットワークの上位層にデータ処理を集中させ過ぎると、処理や通信の遅延が発生する恐れがある。これを回避するために、利用者の近くにもサーバーを配置し、負荷の分散と通信の低遅延化を図る。

IoTが浸透するにつれ、リアルタイム性が求められる機器もネットワークにつながっていく。こうした機器で即時の判断や対応が必要な部分については、端末の近くで処理することで遅延を最小限にできる。AIチップが普及すれば、クラウド側で実行されることの多いAI処理もエッジコンピューティングの対象になる。

端末の近くで多くを処理するエッジコンピューティング

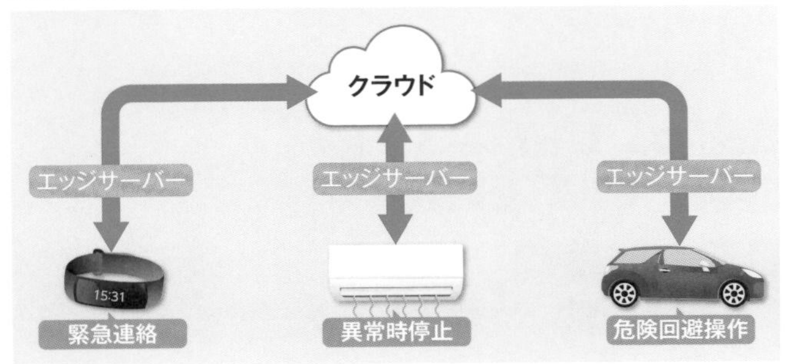

クラウドでの処理はデータの解析や複雑な処理には便利だが、即時の対応が必要な処理はエッジ側で実行する方が望ましい

ワンポイント

効率的な分散処理を実現することで、即時の判断が必要な状況に備える。

これもキーワード

分散処理　接続された複数のコンピューターが分担し合って処理を実行すること

端末　ネットワークなどに接続して利用者が直接操作する機器。ターミナルともいう

big data

ビッグデータ

日々蓄積されていく膨大かつ複雑なデータ群

大量に蓄積されたデータの総称。クラウドに保存される各種の履歴データやセンサーによる計測データなどから、有益な情報を抽出できる可能性がある。

クラウドサービスの普及で、人々の動向やサービスの状況に関する大量のデータ（ビッグデータ）を収集・処理しやすくなった。それらのデータを適切に分析して、目的に沿った内容の傾向を抽出できれば、サービスの改善や新サービスの創出など、ビジネスに役立つ情報になる。

なお、消費者行動のデータには、名前やIDなど個人を特定できる情報は含めないことが前提だ。しかし、多方面のデータを突き合わせることで、特定の人物の詳細な履歴情報を抽出できる可能性は十分にある。それを防げるレベルのデータの匿名化が必要とされる。

ビッグデータの分析を担当する専門家を、データサイエンティストと呼ぶ。企業では、経営課題を把握して成果を上げるための仮説を立てる。次に仮説を立証するためにデータを収集。それを統計学的に分析し、具体的な対策を提示する。

オンラインで巨大なデータが日々蓄積される

防犯·遠隔監視カメラデータ
センサーデータ
RFIDデータ
メール
SNSデータ
POSデータ
固定電話
交通量·渋滞情報データ
携帯電話
GPSデータ
CTI音声データ

流通量の多いメディア別の主要なデータ。いわゆるビッグデータは、これらのようにネットワークを通じて蓄積される巨大なデータを指す

ワンポイント

ビッグデータの活用スキルが課題。匿名化についての対応も必要になる。

これもキーワード

データサイエンティスト　ビッグデータ分析の専門家。多方面の知識を有する

open data

オープンデータ

公共性の高い有益なデータを一般公開

主に官公庁などが二次利用可能という前提で公開している各種のデータ。指定されたルールの範囲内で複製や加工、頒布などに利用できる。

統計や財政などの行政情報をはじめ、気象情報や災害時の避難場所、市営バスの運行状況など、官公庁や地方自治体、企業などが保有する多様なデータを、二次利用しやすい形で公開する取り組みが進んでいる。背景には、行政や企業が持つ公共性の高いデータを第三者が活用しやすくすることで、住民の利便性向上や新サービスの創出につなげる狙いがある。

例えば、地域のゴミ出しの日が分かるようなWebアプリや、最寄りの保育園／幼稚園を地図上で探せるWebサイトなどの作成にも、関連する情報のオープンデータが役に立つ。東京地域の公共交通事業者とIT関連事業者は「公共交通オープンデータ協議会」を設立し、それぞれが保有するデータを公開することで、交通機関に関する多彩な情報提供を推進する。

総務省は政府関連の統計データをWebサイトで公開

政府の統計データを公開するWebサイト「e-Stat（イースタット）」。総務省統計局が整備し、独立行政法人統計センターが運用する

ワンポイント

公共機関や企業は、再利用しやすいデータの蓄積と公開が求められる。

これもキーワード

e-Stat　政府が調査した各種の統計データを公開するWebサイト

りょうしコンピューター；quantum computer

最新

量子コンピューター

量子ビットに基づく新機軸の未来型コンピューター

量子力学を動作原理とするコンピューター。理論的な研究や基礎的な実証実験が進んでいる。量子ビットと呼ばれる単位を演算の基本要素とする。

量子コンピューターは、量子力学における「重ね合わせ」の原理を応用した「量子ビット」で情報を扱う。現在のコンピューターとは桁違いに高速な計算が可能で、金融、医療、物流、交通などさまざまな分野で社会変革を起こす重要な技術だと考えられている。米IBMや米グーグルをはじめ世界中の企業や研究者が開発にしのぎを削っており、各国の政府も巨額の予算を投じて開発を後押しする。

現在のコンピューターは、0または1のどちらかを表す「ビット」という単位で情報を処理する。例えば3ビットで8通り（2×2×2）の情報を表せるが、1回の操作で扱えるのは1通りだけ。8通り全てを処理するには、8回の操作が必要になる。

一方、量子コンピューターが利用する量子ビットは、重ね合わせの原理により、0と1という2つの情報を併せ持つことが可能。3量子ビットなら000～111とい

量子ビットで処理能力が飛躍的に向上する

現在のコンピューター

ビット（bit）

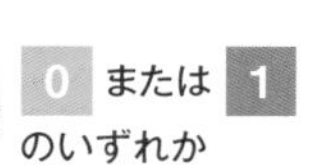

3ビットの場合

8通りの情報を扱うために、8回の処理が必要

量子コンピューター

量子ビット（qubit）

3量子ビットの場合

8通りの情報を一度に扱えて、並列的に処理できる

量子ビット数	10	30	50
一度に扱える情報量	1024	10億超	1000兆超

量子コンピューターでは、0でも1でもあり得る「量子ビット」という単位で情報を処理する。例えば3量子ビットは、000～111という8通りの情報を一度に処理可能。n量子ビットで扱える情報量は2のn乗個。50量子ビットなら1000兆個以上の情報を一度に扱えることになる

う8通りの情報を同時に扱え、それらを1回の操作で並列処理できる。n量子ビットで扱える情報量は2のn乗個になり、50量子ビットで1000兆個以上の情報を一度に扱えることになる。こうした仕組みにより、現在のコンピューターでは不可能な計算を、量子コンピューターが超高速に実現することを「量子超越性」と呼ぶ。

2019年10月には、グーグルの量子コンピューターが、世界最速のスーパーコンピューターで1万年掛かる計算をたった200秒で実行したとして、注目を集めた。グーグルはこのとき、54量子ビットの量子コンピューターを開発し、量子超越性を実証したという。ただし、それについて、IBMなどは疑問を呈しており、実用化はまだ先という見通しだ。

現状の量子コンピューターは、ノイズによる量子ビットの誤り訂正ができない不完全な段階だという。誤り訂正を可能にするためには、量子ビットのエラー率を抑え、膨大な数の量子ビットの実装が必要とされる。量子ビットの誤りを自動訂正する「誤り耐性量子コンピューター」の開発が今後の課題となっている。

実用化された場合、効率的な電池や少ないエネルギーで生産できる肥料の開発、薬効をより発揮する分子構造の解析などへの活用が期待される。一方で、セキュリティを支える暗号技術にはマイナス面があるかもしれない。Webサイトで使われるSSLなどの暗号通信が、桁違いの処理能力によって解読可能になるのではないかと不安視する声がある。

グーグルは「量子超越性」を実証したと発表

左は米グーグルのサンダー・ピチャイCEOと同社が開発した量子コンピューター。上はこの量子コンピューターに搭載された「Sycamore（シカモア）」と呼ばれる量子プロセッサー（出所：グーグル）

ワンポイント

世界を変える桁違いの処理能力だが、実用化までの道のりは長く険しい。

これもキーワード

量子ビット　重ね合わせの原理で、複数ビットに相当する情報を1回で処理できる

スーパーコンピューター　大規模な数値計算を高速に処理するコンピューター

アールピーエー；robotic process automation

注目

RPA

パソコンでの定型的な事務作業を自動化する

既存の基幹システムや業務システムを刷新することなく、それらを前提にした事務作業を自動化する仕組み。AI（人工知能）を取り入れたRPAツールが多い。

RPAは、ロボットによるプロセスの自動化を意味する。既存のシステムを抜本的に刷新することなく、人間の補完機能として既存システムを使う業務を遂行する、仮想的な知的労働者という位置付けだ。労働者としてのRPAは、働き続ける、変化に強い、同じ間違いを繰り返さないなどが強み。人口減少が進むなか、RPAによる生産性の向上が期待される。

銀行、保険会社、通信会社、家庭用品メーカーなど、比較的に単純だが手間の掛かるパソコン作業に多くの人員を要する企業で、特に需要が高い。

RPAの運用管理は、サーバー型とクライアント型に大別できる。サーバー型は全社的に統制の取れた運用が可能になる半面、初期投資は高額になる。クライアント型はユーザー部門ごとに低コストでの導入が可能だ。RPAの開発ツールをそろえて、導入を支援する事業者もある。

RPAの導入で既存システムのまま自動化が可能に

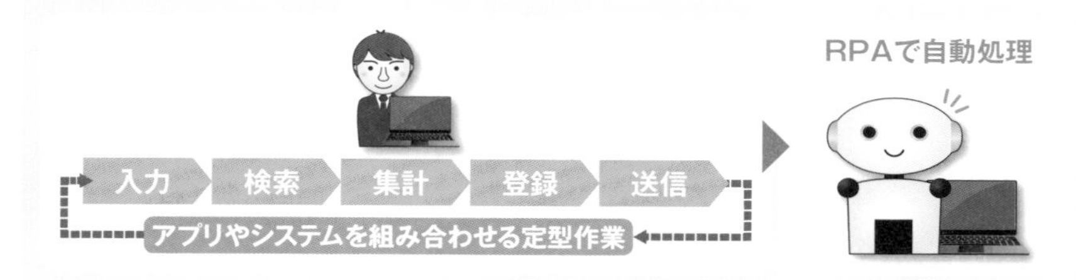

複数のアプリやシステムを組み合わせる、シンプルだが手間の掛かる定形的なパソコン作業をRPAで自動化する

ワンポイント

Excelマクロのような自動化を、広範囲の定型業務にまで拡大したもの。

これもキーワード

ノーコード／ローコード　プログラミング言語のコードを記述しない開発手法
マクロ　アプリで操作手順を登録しておき、必要なときに呼び出して使う機能

第2章

インターネットの重要キーワード

cloud storage

基本

クラウドストレージ

インターネットで使える自分専用の保存領域

インターネットに接続されたサーバーのストレージ領域を、利用者ごとのデータ保存用として提供するサービス。オンラインストレージとも呼ぶ。

クラウドストレージに保存したファイルは、インターネットに接続した環境なら、どのパソコンやスマホ、タブレットからでも利用できる。もちろん、各自のアカウントとパスワードで管理されているので、自分で公開しなければ、他人の目に触れることはない。一方で、ほかの人とのファイルの受け渡しや共同作業にも使える。

多くのネット企業がクラウドストレージのサービスを提供している。たいていは、一定容量までが無料で使え、定額支払いの有料サービスに切り替えることで、より大きな容量と追加の機能が利用できるようになる。米グーグルの「Googleドライブ」、米マイクロソフトの「OneDrive」、米アップルの「iCloud Drive」、米ドロップボックスの「Dropbox」などが代表格だ。

Webサービスなので、Webブラウザーから利用するのが基本。とはいえ、主要なクラウドストレージはいずれも、パソコンから手軽に使うための同期アプリを提供している。例えばWindows 10は、標準

保存したファイルをさまざまなパソコンやスマホなどから利用できる

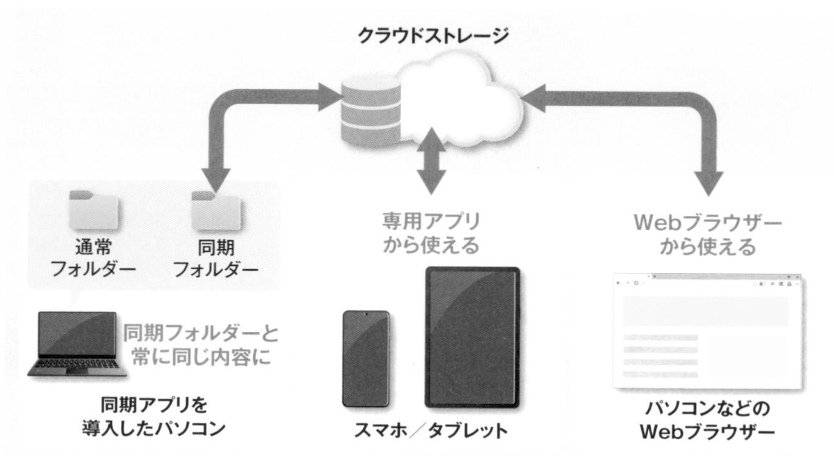

クラウドストレージはWebブラウザーで使えるほか、主要なサービスは、パソコン用の同期アプリやスマホアプリも提供する

でOneDrive用の同期アプリの機能を組み込み済みだ。

同期アプリのあるパソコンでは、パソコンのストレージに作った専用のフォルダー（同期フォルダー）を常時監視して、クラウドストレージ側が同じ内容になるように、自動でアップロードなどを実行する。ほかのフォルダーと同じようにファイルを操作できるので、いちいちクラウドストレージのWebページを開かなくても使える。

同じ企業が提供する各種のWebサービスと連携できることも大きな利点。例えば、マイクロソフトのOneDriveは、同社が提供するWebサービス版のWordやExcelなどと自動で連携する。それにより、OneDriveに保存してあるWordやExcelのファイルを、Webブラウザー画面のまま編集するという使い方ができる。WordやExcelを導入していないパソコンからも利用できるので便利だ。

主要なクラウドストレージサービス

OneDrive（米マイクロソフト）
無料では5GBまで。Windows 10では標準仕様。Microsoft 365ユーザーは1TBまで

Googleドライブ（米グーグル）
無料では同社の他サービスを含めて15GBまで。Googleドキュメントなども使える

iCloud Drive（米アップル）
無料では同社の他サービスを含めて5GBまで。macOSやiOSでは標準仕様

Dropbox（米ドロップボックス）
無料では2GBまで。知名度が高く、連携するWebサービスが多い

OneDriveからWordやExcelの機能が使える

マイクロソフトが提供するOneDriveの画面例。OneDriveに保存したWordやExcelのデータファイルは、パソコンにアプリが導入されていなくても、Webブラウザー画面のまま閲覧や編集ができる

ワンポイント

ファイルを受け渡したり共同で編集したりする作業にも役立つ。

これもキーワード

OneDrive　マイクロソフトのクラウドストレージ。Windows 10は標準対応

iCloud　アップルが提供するWebサービスの基盤。iCloud Driveはその一部

同期　複数の機器に保存してあるデータを同じ内容にすること（→P153）

マイクロソフトさんろくご

Microsoft 365

基本

仕事で使うマイクロソフトのWebサービス

米マイクロソフトが提供する定額制の有料サービス。WordやExcelなどのOfficeアプリとOneDriveなどのWebサービスを、月払いまたは年払いで利用できる。

個人向けのMicrosoft 365 Personalは、WordやExcelなどのOfficeアプリが主役だ。一方、法人向けのMicrosoft 365には複数のプランがあり、Officeアプリのほか、たいていはオンライン会議やグループウエア、工程管理、セキュリティ、デバイス管理などのアプリが使い放題になる。独自のドメイン名のメールアドレスも作れる。月単位または年単位で契約し、バージョンアップなどで常に最新の機能を利用できる。

プランごとに構成が異なり、大企業向けのプランにはWindows 10のライセンスが含まれるものがあるほか、セキュリティ対策やデバイス管理機能などが充実している。一般法人向けにはOfficeアプリを含まずに、主にメールやグループウエアなどを利用するだけのプランもある。そのほか、教育機関向けプランのMicrosoft 365 Educationなどがある。

いずれも、利用人数分のアカウントを契約し、それぞれのアカウントの利用者がMicrosoft 365のWebサイトにサインインして利用する。管理者権限を持つユー

マイクロソフトが提供するビジネス向けのWebサービスを数多く利用できる

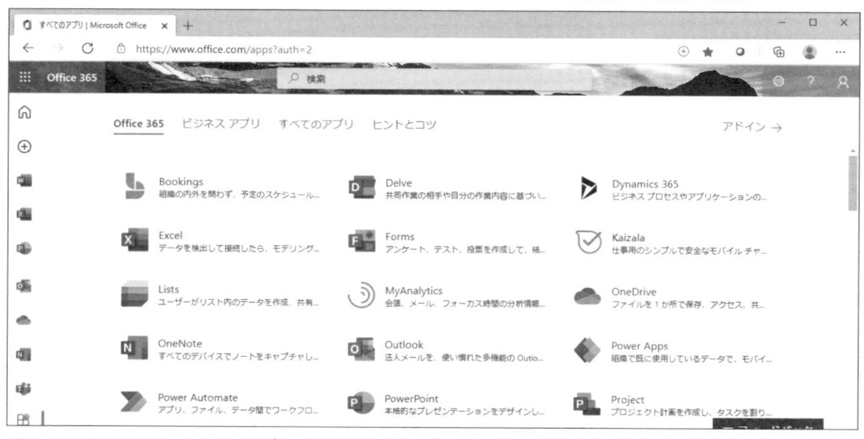

Microsoft 365にサインインして、アプリ一覧を表示した例。法人ユーザーは独自のサービスやアプリを追加できる

ザーがアカウントの割り当てや各種ツールの管理などを行う。

Officeアプリは、Windows版だけでなくMac版も提供され、常に最新版を利用できる。オンライン版のOfficeや、スマホ／タブレット用のOfficeアプリも利用可能。個人向けのプランも同様であり、各ユーザーが最大5台の機器で同時使用できるのも魅力だ。

一方、Officeアプリだけが必要という場合は、買い切り型のパッケージ製品のOffice 2019も選択肢になる。Office 2019付きで販売されるパソコンもある。費用を単純に比較すると、おおむね3年以上使い続けることで、Microsoft 365 Personalの支払い総額より割安になる。

第2章

WordやExcelをさまざまな環境で利用できる

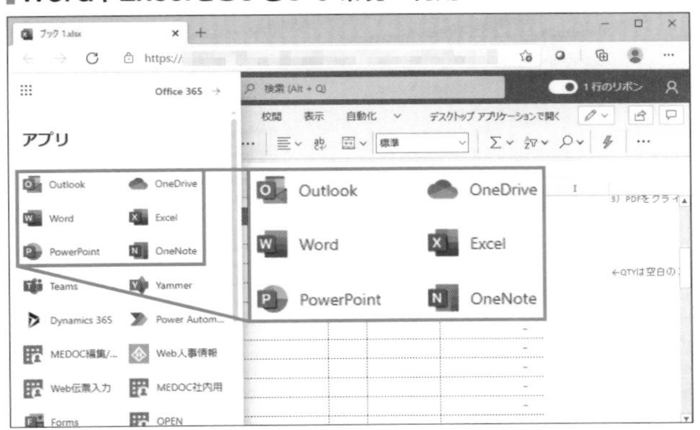

Officeアプリは、アカウントの利用者ごとに5台までのパソコンやスマホなどで使える。Webアプリやスマホアプリでの機能も増える

個人向けのMicrosoft 365とOffice 2019の違い

Microsoft 365	Office 2019
継続的な定額支払い	購入時の一括支払い
契約期間のみ利用可能	永続的に利用可能※
OfficeアプリとWebサービス	Officeアプリのみ
常に最新の機能が使える	バージョンは発売時点のまま

WordやExcelを目的としたときの主な違い。個人向けで言えば、Microsoft 365の3年間の利用料金が、Office 2019の製品価格におおむね相当する

※プリインストール版は同一機器での利用に限定

ワンポイント

Officeアプリを軸にして、企業向けの多彩なサービスをまとめて提供する。

これもキーワード

サブスクリプション　製品やサービスを期間ごとの定額料金で利用する方式（→P39）

Office 2019　2018年発売のOfficeアプリ。Windows 10用とmacOS用がある

グーグルワークスペース

基本

Google Workspace

職場で共有するグーグルのWebサービス

米グーグルが提供する法人向けの有料サービス。GmailやGoogleドキュメントなどのWebサービスに、ユーザー管理の機能を組み合わせる。旧称はG Suite。

Google Workspaceは、組織内の利用者を一元管理して、ファイルや情報を共有しやすいのが特徴。提供される主要なWebアプリの内容は、無料で利用できるものと基本的には同じだ。

各人が使い慣れたGmailやGoogleドキュメントなどを利用しながら、その運用を組織的に管理できるのがメリット。 例えば、Gmailは会社名などを使った独自のドメイン名を持つメールアドレスで利用できる。Googleカレンダーの予定は、組織内で自動的に共有できる。無料のWebサービスと違って、ユーザーごとに逐一共有の設定をする必要はない。

学校など教育機関向けには「Google Workspace for Education」として提供。こちらは有料プランのほか、基本機能を無料で使えるプランがある。生徒や保護者とのやり取りに使える「Google Classroom」などのツールも付属する。

組織内の利用者を一元管理できるのが特徴

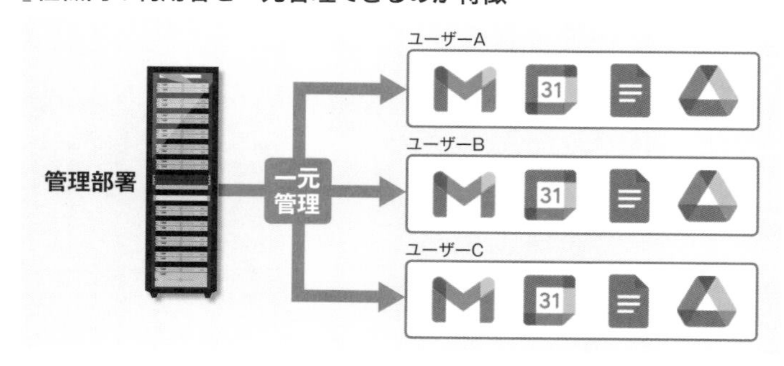

GmailやGoogleカレンダーなど、米グーグルのWebサービスが基本。組織内の利用者を一元管理できるほか、情報を共有しやすい

ワンポイント

グーグルのWebサービスに慣れた利用者はすぐに使いこなせる。

これもキーワード

Googleドキュメント　Web用の文書作成アプリ。ほかに表計算アプリなどもある

ジーメール

Gmail

Googleアカウントになる無料のメールサービス

無料のWebメールサービスとして人気が高い。精度の高い迷惑メールフィルターや高速検索などが特徴。メールアドレスはそのままGoogleアカウントになる。

無料のWebメールサービスは、Gmailが登場する以前からあった。しかし、迷惑メールを自動仕分けするフィルター機能などの評価が高いこともあり、Gmailはサービス開始直後から、急速にユーザー数を増やした。受信したメールにラベルを付けて分類するなどの特徴もある。

Gmailのメールアドレスは、米グーグルが提供するWebサービスのアカウントでもある。つまり、同社のWebサービスに登録するにはGmailが必要になる。なお、ほかのIT企業では、自社提供以外のメールアカウントでも登録できる例が多い。

そもそもWebメールとは、Webブラウザーの画面で送受信するメールサービスを指す。今ではGmailを含め、ほとんどのメールサービスが、メールアプリでもWebブラウザーでも利用できる。

Gmailの迷惑フィルター機能は評価が高い

Webブラウザーで表示したGmailの画面例。受信メールはラベルで整理する。「ソーシャル」「プロモーション」「新着」「フォーラム」というラベルは自動的に付加される

ワンポイント

グーグルの検索技術に裏付けられた便利さと使いやすさが特徴。

これもキーワード

Webメール　Webブラウザーの画面で送受信するメールサービス

迷惑メールフィルター　受信した迷惑メールを自動で判別して仕分ける機能

どうがはいしん

動画配信

ネットの動画をテレビでもパソコンでも視聴

映画やテレビ番組などの動画コンテンツをインターネット経由で視聴できるサービス。コンテンツごとに購入する方式と定額制で見放題の方式がある。

Netflix（ネットフリックス）やHulu（フールー）など、インターネット経由で映画やバラエティー番組などを視聴できる動画配信サービスが普及している。たいていはパソコンやスマホでも利用できる。

動画配信サービスをより便利にするのが、米グーグルが販売する「Chromecast with Google TV」などの機器。パソコンやスマホで視聴している動画を、大画面テレビに表示する使い方もできる。動画配信サービスのコンテンツやWebページなどを、パソコンやスマホから引き継ぐようにしてテレビに映し出す。テレビ側はHDMIの入力端子があればよい。

パソコンやスマホで見ている動画をテレビに映せる

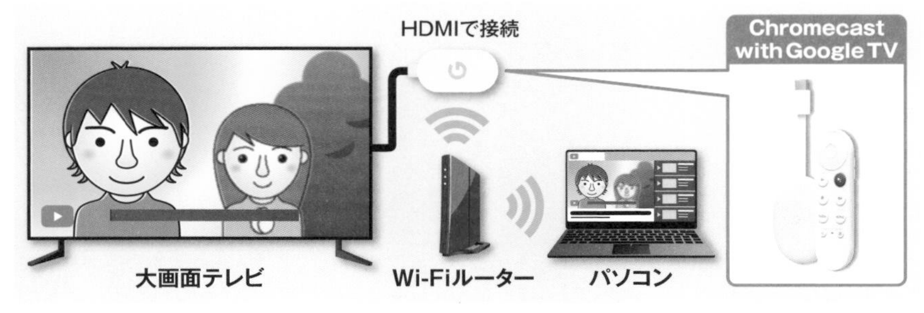

例えば、米グーグルの「Chromecast with Google TV」を利用すれば、WebブラウザーのChromeが表示している画面を大画面テレビで見ることができる。パソコンやスマホとはWi-Fiで接続し、テレビとはHDMIで接続する

ワンポイント

動画配信サービスでパソコンやスマホとテレビの垣根がさらに低くなる。

これもキーワード

Chromecast グーグルの動画配信サービス用機器。テレビに接続して使う

Fire TV アマゾンの動画配信サービス用機器。テレビに接続して使う

Apple TV アップルの動画配信サービス用機器。テレビに接続して使う

けんさくエンジン；search engine

基本

検索エンジン

インターネット検索を実現する自動化技術

ネット検索の機能を提供するサービス。検索エンジンは、Webサイトを自動巡回して情報を収集し、それぞれの重要度を評価して検索を可能にする。

インターネット検索は、Webサイトの情報を人手で集めるというやり方から始まった。しかし、これでは膨大な量に対応できず、評価にもばらつきが生じる。

そこで、クローラーと呼ばれる情報収集システムが登場した。プログラムが自動でWebサイトを巡回して、情報を収集する仕組みだ。さらにWebサイトを自動で評価する仕組みが加わる。評価で特に重視されるのは、ほかからのリンクの多さ。「多くの論文から引用されるのは優れた論文」という考え方と同じだ。

Webサイトを自動巡回してインデックス処理

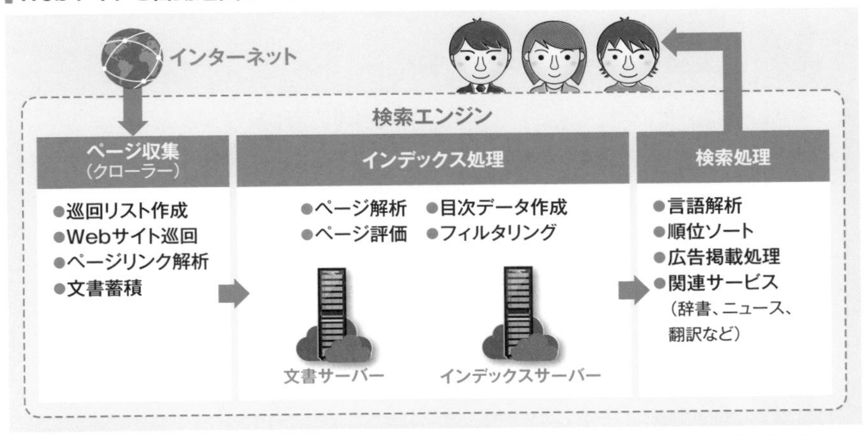

検索エンジンの仕組み。「クローラー」と呼ぶ機能でWebサイトを自動巡回し、インデックス処理で検索可能な情報にする

ワンポイント

検索エンジンが評価する基準次第で、Webサイトの注目度が左右される。

これもキーワード

インデックス　対象を解析して作る索引データ。検索や並べ替えを高速にする

cookie

クッキー

注目

Webサイトがパソコンに自動保存する識別情報

Webサイトが、アクセスしてきた利用者のWebブラウザーに自動で保存するデータ。次にアクセスしたとき、そのデータがWebサイトに送信される。

クッキーを使うことでWebサイトは、アクセスしてきた利用者の履歴に基づいた内容をWebページに反映させる。通販サイトで表示されるお薦め商品が、利用者ごとに違うのもこの仕組み故。便利な半面、利用者が望まない使われ方もあり得る。

そもそもクッキーには、アクセス先のサイトが発行する「ファーストパーティクッキー」と、アクセス先サイトを介してネット広告会社などが発行する「サードパーティクッキー」の2種類がある。特に後者は、初めて訪れたWebサイトの広告にも反映されるなど、利用者を追跡するような仕組みになっている。そのため、個人情報の保護を目的に、クッキーの機能を規制する動きが活発化している。

Webサイトが送信してWebブラウザーが保存

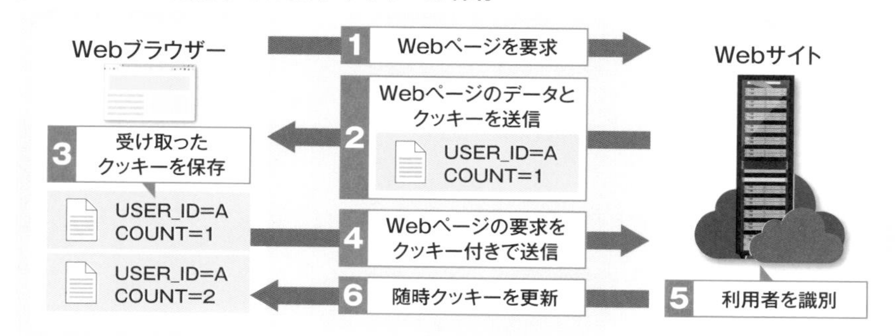

Webサイトは、Webページのデータと同時にクッキーを送信。受信したWebブラウザーはそれをパソコンに保存し、次回以降のアクセス時にクッキーも送信する。それによりWebサイトは利用者を識別する

ワンポイント

利用者にクッキーの受け取りを事前確認するWebサイトが増えている。

これもキーワード

追跡防止機能　クッキーなどによる利用者の行動追跡を防ぐWebブラウザーの機能

proxy server

プロキシーサーバー

LANとインターネットを中継して安全かつ高速にする

LANとインターネットの接続点に設置するサーバー。セキュリティの強化とアクセスの高速化が目的。代理サーバーとも呼ばれる。

プロキシー（proxy）は、代理人という意味。利用者の代理人として、インターネットのWebサーバーと通信する。一般には社内LANとインターネットの中間に設置し、LANの内部と外部が直接やり取りしないようにする。

プロキシーサーバーが間に入ることで、接続先を許可されている範囲に制限でき、履歴の管理も容易になる。データの受け渡し時にもウイルスチェックを確実に実行できる。通信先のWebサーバーに対しては、利用者の匿名性を確保できる。

Webサーバーから受け取ったデータをキャッシュに保存しておく機能もある。そのため、同じWebサーバーへのリクエストがあった場合は、すぐに利用できる。

利用者の代理人としてWebサーバーにアクセス

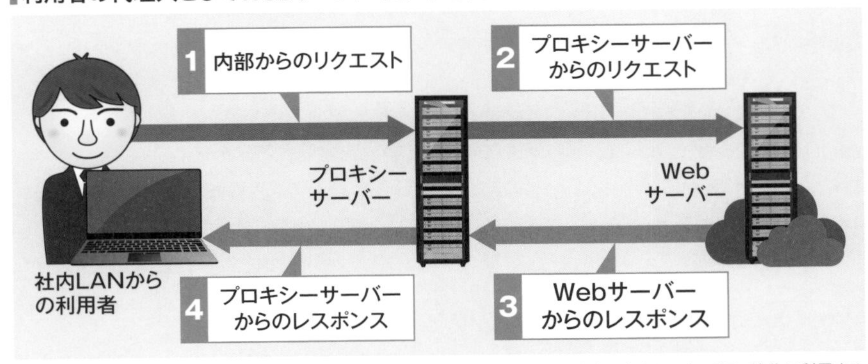

プロキシーサーバーの概要。LANとインターネットの接続点に設置して、アクセス速度の向上やセキュリティ強化に利用する

ワンポイント

社内LANの安全を守りつつ、インターネット利用を快適にする。

これもキーワード

キャッシュ　やり取りするデータを一時的に蓄える領域、または記憶装置

ドメインめい：domain name

基本

ドメイン名

インターネット上の住所になる組織ごとの独自名

インターネット上で割り当てられる名前の文字列。Webサーバー名やメールアドレスなどに使われる。DNSという仕組みでドメイン名をIPアドレスに変換する。

インターネット上のWebページを開くと、Webブラウザー画面のアドレスバーには「https://sample.nikkeibp.co.jp/」などのようなURL（uniform resource locator）が表示される。この文字列はアドレスとも呼ばれるが、文字通り、インターネット上の住所のようなものだ。

URLは、通信規約（プロトコル）を表す「http:」または「https:」で始まり、これに続く「//」の後ろから最初の「/」の手前までの文字列をドメイン名という。

例えば「https://sample.nikkeibp.co.jp/pc/index.html」というURLであれば、「sample.nikkeibp.co.jp」の部分がドメイン名。ドメイン名はピリオドで区切られた階層構造であり、地域や組織の分類を表す末尾の文字列をトップレベルドメインと呼ぶ。「jp」なら日本、「cn」なら中国、「com」なら商取引事業者、「org」なら非営利組織といった具合だ。さらに2階層目（セカンドレベルドメイン）までが「co.jp」なら日本企業、「go.jp」なら日本の政府機関、「ac.jp」なら日本の高等教育機関というように、組織の属性も示される。多くの場合、これらの手前に会社名や組織名を付けた「nikkeibp.co.jp」のような文字列をドメイン名とする。

ドメイン名はURLのほか、メールアドレスにも使われる。メールアドレスでは「@」記号の後ろの文字列がドメイン名になる。

Webページの URL やメールの宛先はドメイン名を含む文字列となっているが、

「xxxxxx.co.jp」などで表記されるインターネットの住所

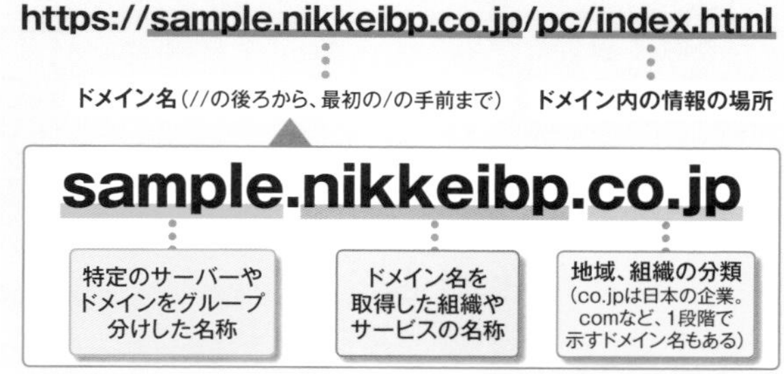

「https」は通信規約（プロトコル）。「://」の後ろから次の「/」の手前までがドメイン名に当たる。メールアドレスで「@」記号の後ろにある文字列もドメイン名だ

この住所は人間が分かりやすいように便宜上付けた名前にすぎない。インターネットに接続されたコンピューターには、それぞれを識別するための「IPアドレス」と呼ばれる数字列が割り振られている。

インターネットは、相手のコンピューターのIPアドレスを指定してデータを送信すれば、ネットワーク上に設置されたルーターと呼ばれる機器が自動的にデータを中継して、相手先まで運ぶという仕組みになっている。そのためWebブラウザーがWebページを開くには、入力されたドメイン名をIPアドレスに変換して、そのIPアドレスのコンピューター（Webサーバー）に接続する必要がある。この変換を行っているのがDNS（ドメイン・ネーム・システム）サーバー。WebブラウザーはDNSサーバーに問い合わせて、入力されたドメイン名に対応するIPアドレスを受け取る。これを「名前解決」と呼ぶ。名前解決はメールアプリなどでも行う。

なお、Webサイトやメールシステムを運用するなどでドメイン名を取得する場合は、「レジストラ」と呼ばれる業者に依頼する。レジストラとは、ドメイン名の登録に関する取次業者のこと。ドメイン名取得の申請を受け付け、手数料を集金する。実際にドメイン名を管理しているのは「レジストリ」と呼ばれる組織。トップレベルドメインごとに決められており、例えば「jp」のドメイン（JPドメイン）を管理しているのは日本レジストリサービス（JPRS）だ。

DNSでドメイン名をIPアドレスに変換する

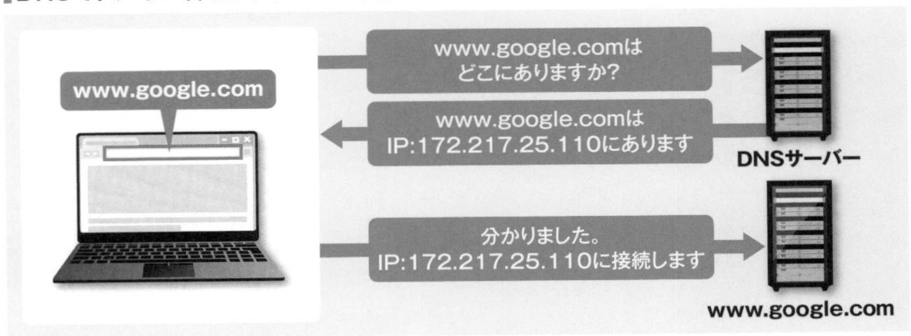

IT機器がインターネットで通信する際には、通信相手のドメイン名をDNSサーバーに送ってIPアドレスに変換する

ワンポイント

ドメイン名を正確に読み取ることが、偽サイトを見破る判断材料になる。

これもキーワード

IPアドレス　インターネットに接続された機器ごとに振られる識別番号（→P74）

DNS　URLやメールアドレスのドメイン名をIPアドレスに変換する仕組み

アイピーアドレス；IP address

基本

IPアドレス

インターネットに接続された機器ごとの識別番号

インターネットに接続されるコンピューターや機器ごとに割り振られる識別番号。IPv4規格でのIPアドレスは枯渇しつつあり、IPv6規格へと移行中。

インターネットでは、データをやり取りするためにIPアドレスと呼ばれる識別番号を使用する。インターネットに接続した機器にはそれぞれIPアドレスが割り振られ、それを使って個々の機器を識別し、データを送受信する仕組みだ。

例えば、あるパソコンがWebサイトにアクセスする場合、そのWebサイトのIPアドレス宛てに、自分のIPアドレスを含むデータを送信する。Webサイト側では、送信元のIPアドレスにデータを返送し、通信経路を確立する。こうすることで初めて、パソコンでWebサイトの閲覧が可能になる。Webブラウザーで開くときはURLで指定するが、そのURLはDNS（ドメイン・ネーム・システム）という仕組みによりIPアドレスに変換される。

IPは「Internet Protocol（インターネットプロトコル）」の略で、インターネット通信の手順を定めた規約。IPのバージョンに応じて「IPv4（アイピーブイフォー）」と「IPv6（アイピーブイシックス）」のIPアドレスがある。

インターネットの初期から使用されてきたIPv4では、0から255までの数字を4つ並べた数字列を用いる。この場合、256の4乗の数を表せるので、およそ43億通りになる。情報の単位である「ビット」で表すと、32ビットに相当する。

43億通りという数は一見多そうだが、インターネットの普及と接続する機器の増加により、既にIPv4ではIPアドレスの数が足りなくなりつつある。2020年時点の世界の人口は77億人を超えており、仮に

IPアドレスで宛先を指定してデータを送受信する

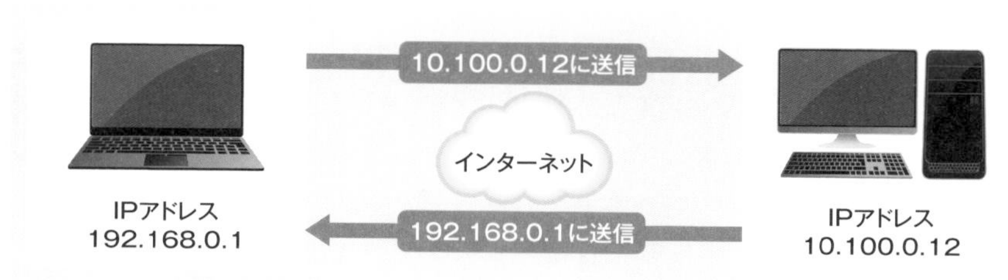

インターネットの通信では、接続している機器ごとに割り振られたIPアドレスでアクセス先を指定する

1人1台インターネット端末を持つことになれば、43億通りでは全く足りない。1人で複数台の情報機器を利用し、家電やIoT機器などインターネットに接続する端末が急増している現在、IPv4のIPアドレスは在庫ゼロに近い。

この「IPアドレス枯渇問題」を解決すべく準備されてきたのが、後継規格のIPv6だ。IPv6で使われるIPアドレスは128ビット。4つの16進数（0～9、a～f）を8ブロック並べて表現する。その数はおよそ340澗（かん、澗は10の36乗を表す）通りになるので、事実上無限になる。

最近は、IPv6に対応したWebサイトやインターネット・サービス・プロバイダー（ISP）も増えている。IPv6に対応するプロバイダーでは、「IPv6 IPoE」という接続方式を採用していることが多く、対応ルーターでこれらに接続すれば、現状ではより快適にインターネットを利用できる。

IPv4規格におけるIPアドレスの例

IPv4のIPアドレスは、0～255の数字を4つ並べて表記される。情報の最小単位である「ビット」で表すと32ビットに相当する。概算で約43億通りの組み合わせが存在する

IPv6規格におけるIPアドレスの例

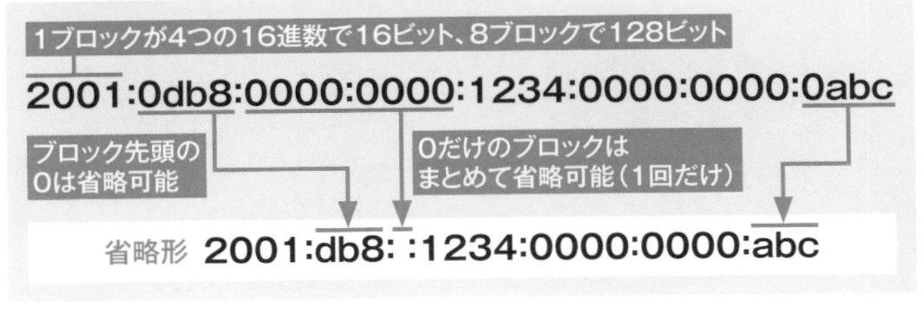

IPv6規格のIPアドレスの例。IPv4よりもかなり長くなるが、0を省略してやや短くするための仕組みも備える

ワンポイント

IPv4規格におけるIPアドレスの枯渇問題を解決するのがIPv6規格。

これもキーワード

IPv4　広く使われるIPという通信規約のバージョン4。アドレスは32ビット

IPv6　浸透しつつあるIPv4の後継規格。アドレスは128ビット

packet

パケット

インターネットを行き交う分割データの単位

インターネット通信における転送データの単位。データを決められた大きさで分割し、それぞれに送信先などの情報を付加した状態のパケットとして転送する。

インターネットでやり取りされるデータは、パケットまたはIPパケットと呼ばれるデータの単位に分割されて送受信される。

パケットにはデータの宛先や送信元のIPアドレス、それが元データのどの部分に当たるかなどを記した「IPヘッダー」が付加されており、通信が確立して目的地に送り届けられると、これらの情報に従って元のデータが復元される。

インターネットでは、1本の回線上に何種類ものパケットを混在して流せる。複数のファイルを同時にダウンロードしたり、同じ回線を複数の端末で同時利用したりできるのはそのためだ。

データは細かく分割されたパケットとして送受信される

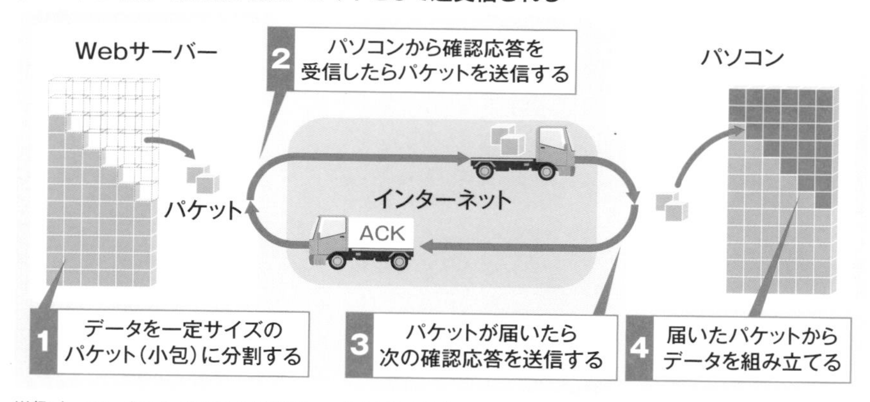

送信データは一定のサイズに細かく分割され、必要な情報を付加したパケット(小包)単位で送受信される

ワンポイント

パケット方式によって、回線を占有することなく効率的な通信が可能になる。

これもキーワード

ルーター　ネットワーク同士を接続してパケットを転送する機器 (→P82)

ティーシーピーアイピー：Transmission Control Protocol/Internet Protocol

TCP/IP

インターネットの基礎を支える通信規約

「TCP」と「IP」という、データ通信の基本的な手順を定めた通信規約（プロトコル）。インターネットはTCP/IPによる通信が基本で、LANでも利用される。

TCP/IPは、インターネットで最も一般的に使われているプロトコル。プロトコルとは、接続方法やデータ形式、通信手順などを定めた約束事という意味だ。TCPとIPという２つのプロトコルをまとめてTCP/IPと呼ぶ。なお、TCPより信頼性は低いが高速な「UDP」というプロトコルも使われる。

TCPは、コンピューター内部でデータをパケットに分割したり、到着したパケットを再構築したりする際に用いる。アプリケーションとのデータのやり取りや、エラーの確認、再送信の要求などもTCPの役割だ。一方のIPは、インターネット上の機器ごとに割り振られたIPアドレスを頼りに、データを送り届けるために用いる。

TCPはIPで送受信するパケットのエラーや受け渡しを制御

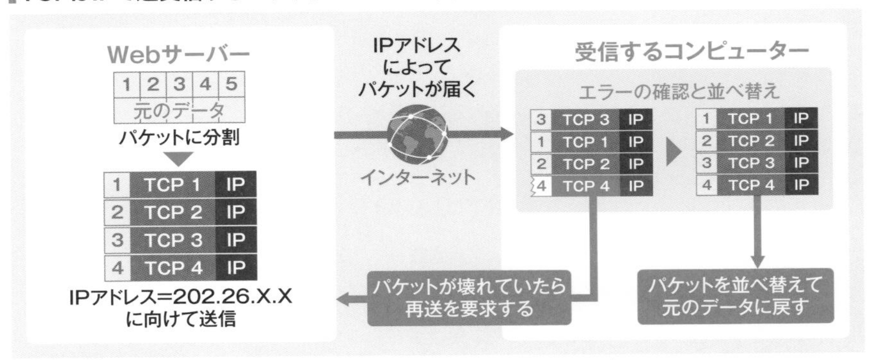

TCP/IPによる通信では、IPアドレスに従って送信するデータ（パケット）について、TCPが受け渡しの手順を制御する

ワンポイント

会社に例えれば、荷物を集配する総務部がTCP、実際に運ぶ配送業者がIP。

これもキーワード

プロトコル　通信規約。コンピューターが通信するときの手順や約束事（→P153）

ポップ：Post Office Protocol ／アイマップ：Internet Message Access Protocol

POP／IMAP

サーバーにある受信メールを読むための2通りの手順

インターネット上のメールサーバーに届いたメールを受信する通信規約。POPは全てをダウンロードし、IMAPはサーバー上に置いたまま参照する。

POPとIMAPは、いずれもメールサーバーに届いたメールを端末で受信する際の通信規約（プロトコル）だ。メールを端末にダウンロードして読むか、サーバー上に保存したまま読むかの違いがある。メールアプリでアカウントを設定する際に、どちらのプロトコルを使うかを選択できる場合もある。

メールは、決められたプロトコルに従って送受信される。メールアプリから送信側メールサーバーに送信したり、送信側メールサーバーから受信側メールサーバーに送信したりする際は、「SMTP（エスエムティーピー）」と呼ばれるプロトコルが使われる。一方、メールサーバーのメールを読むためのプロトコルが、POPとIMAPだ。それぞれバージョン3とバージョン4が現在の主流で、POP3やIMAP4とも呼ばれる。また、Webメールの場合は、Webページ用のプロトコル「HTTP（エッチティーティーピー）」を使用し、Webブラウザーで参照する。

POPでは、受信メールを全てパソコンなどの端末にダウンロードして、端末側でメールを管理するのが基本だ。この場合、一度メールを受信すると、ほかの端末で

メールの送受信に使われる通信規約（プロトコル）

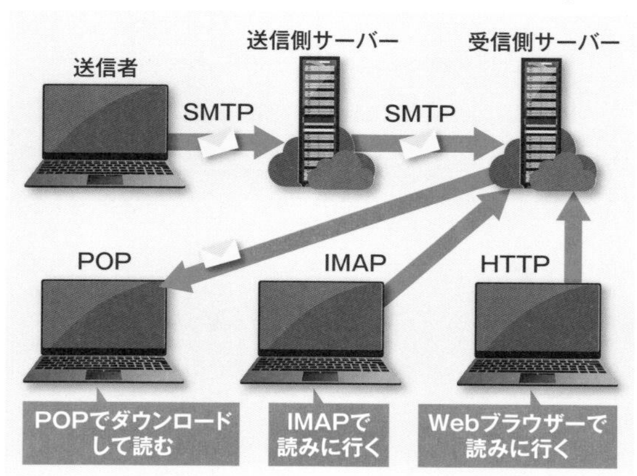

メールを送受信する仕組み。送信にはSMTP（Simple Mail Transfer Protocol）と呼ばれるプロトコルが使われる。受信者が登録しているメールサーバーから受信者の端末までは、POPやIMAPというプロトコルが使われる。なお、Webブラウザーで受信する場合はHTTP（Hypertext Transfer Protocol）というプロトコルを用いる

メールを読もうとしてもサーバー上にメールがないので受信できない。そこで、設定によりサーバーにコピーを保持することも可能になっており、そのように設定することで、ほかの端末でも同じメールを受信できる。ただし、既に受信済みになっていたメールも、ほかの端末で受け取ると、そこでは新着メールとして扱われる。

これに対してIMAPでは、メールをサーバーに保持したまま、それを参照する形で端末上にメールの内容を表示する。サーバー上でメールを管理するため、複数の端末で同じメールを参照しやすいのが利点。パソコンで一度読んだメールをスマホからもアクセスして読めるほか、既読／未読の情報もサーバー側で管理されるので、パソコンで既読のメールは、スマホからアクセスしても既読の表示になる。スマホでメールを下書きして保存し、後からパソコンで仕上げて送信するといったことも可能だ。メールの検索もサーバー側で処理される。

なお、ネットワークにつながっていない状態でも受信済みのメールを読めるようにするため、IMAPの利用時にもメールを端末側に保存するメールアプリは多い。その場合も、端末に保存しない設定や、保存する期間を指定する設定が可能なので、データを保存できる容量が小さい端末や、処理性能が低い端末でメールを扱うのにIMAPは適している。

スマホの普及など、1人が複数の端末を利用するケースが増えている昨今、メール受信のプロトコルはIMAPが主流になりつつある。

IMAPやWebメールはサーバー上でメールを管理

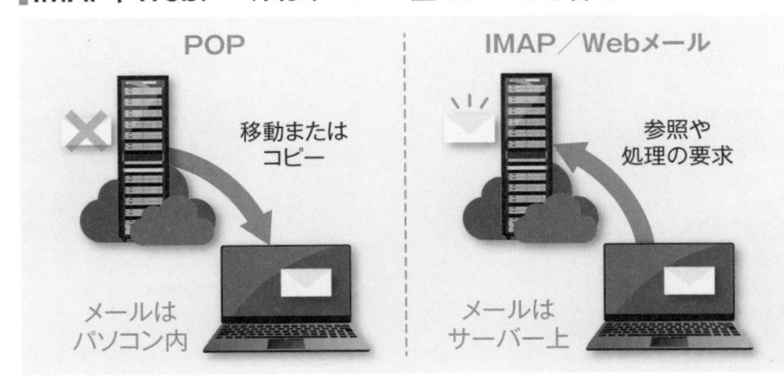

POPでは、メールはパソコンにダウンロードされる。IMAPやWebメールでは、サーバーに保存されたまま表示されるので、複数の端末で同じメールを読むのに適している

ワンポイント

パソコンとスマホの両方でメールを読むなら、IMAPでの受信が便利。

これもキーワード

SMTP　メールの送信やメールサーバー間での転送に用いる通信規約
HTTP　Webサーバーとデータをやり取りするための通信規約

ラン；local area network

基本

LAN

ビル内や自宅内の範囲で使うネットワーク

LANは、オフィス内やビル内などの範囲に設置されたネットワーク。LANケーブルやハブで機器を接続し、ルーターでLAN同士を接続する。

LANは「ローカルエリア」、つまり局地的な範囲のネットワークを意味している。LANのほかに、インターネットのような「ワイドエリア（広域）」を指すWAN（ワン）、BluetoothやUSBの接続で通信するような「パーソナルエリア」を指すPAN（パン）という言い方もある。

実際にはイーサネット（Ethernet）と呼ばれる規格がLANであり、伝送速度を高速化した新規格が順次策定されてきた。現在は、伝送速度が最大1Gbpsのギガビットイーサネットが主流。最大10Gbpsの高速規格も、通信の基幹となるシステムなどで導入されている。これらの規格は上位互換なので、低速規格の機器が混在しても利用できるが、伝送速度は低速規格のものが上限になる。

物理的には、LAN端子を備えた機器同

LANで複数のパソコンやサーバーがつながる

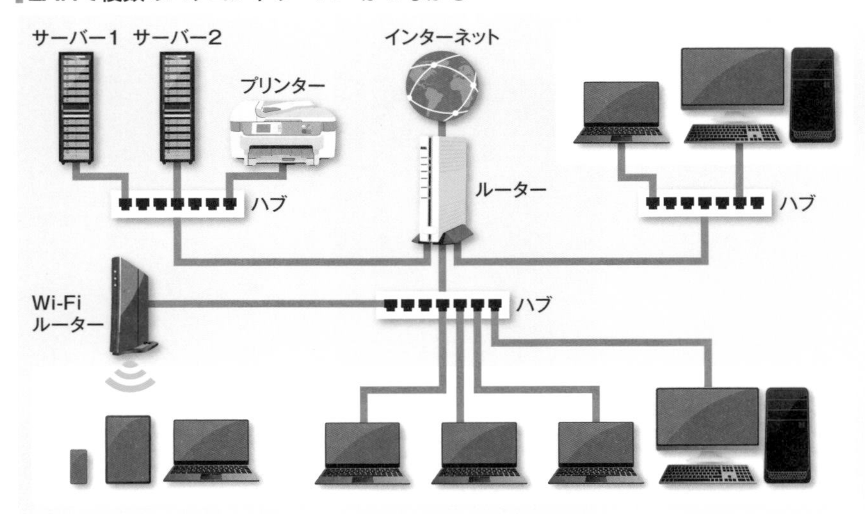

職場などでのLANの構成例。LANケーブルとハブで機器同士をつなぐ。LANと外部はルーターでつなぐ。Wi-Fiルーターは無線でLANに接続するためのルーターだ

士をLANケーブルで接続する。また、ハブ（集線装置）と呼ばれる機器を使えば、複数台をまとめて接続できる。LANケーブルも重要で、イーサネット規格とは別に、カテゴリーというケーブルの規格がある。カテゴリーごとに、信号の伝送に使用する最大周波数を満たすための、ケーブルの通信品質が決められている。

LANに接続する全ての機器は、製造段階でMACアドレスという固有の識別番号が割り振られている。それぞれの機器はLANケーブルを行き交うデータを監視し、自身のMACアドレスが指定されているデータを取り込むという仕組みだ。

LAN同士はルーターという機器で相互に接続する。インターネット接続も同様だ。ルーターは、LANから出ていくデータの行き先をIPアドレスで確認して経路を判断する。また、無線LANを利用する場合は、無線LANルーター（Wi-Fiルーター）をLANに接続し、無線LANのネットワークが有線LANとやり取りする形になる。無線LANではそれぞれの端末が無線LANルーターと直接通信するので、無線LANルーターをアクセスポイントとも呼ぶ。

LANケーブルにも規格がある

ケーブルの種類	通信速度
カテゴリー 5	100Mbps
カテゴリー 5e	1Gbps
カテゴリー 6	1Gbps
カテゴリー 6A	10Gbps
カテゴリー 7	10Gbps
カテゴリー 8	40Gbps

カテゴリーごとに、伝送する信号の最大周波数を満たす通信品質が規定されている

主要なイーサネット規格と利用状況

規格	概要
100メガビットイーサネット	100BASE-TX規格など。速度は100Mbps。 設置時期の古いLANではまだ使われている
ギガビットイーサネット（GbE）	1000BASE-T規格など。速度は1Gbps。 現状では最も普及している
マルチギガビットイーサネット	速度は2.5Gbpsまたは5Gbps。 ギガビットイーサネットのケーブルのまま使える
10ギガビットイーサネット（10GbE）	10GBASE-T規格など。速度は10Gbps。 現状では高速かつ高信頼性のネットワークで利用される

イーサネット規格は基本的に世代ごとで速度が10倍になってきた。いずれも上位互換になる。現在はギガビットイーサネットが主流であり、10ギガビットイーサネットの利用も進んでいる

ワンポイント

有線LANはケーブルが煩わしいが、高速かつ安定しているのがメリット。

これもキーワード

WAN　広域ネットワーク。ルーターでは広域側のLAN端子をWAN端子とも呼ぶ

PAN　個人が使用する機器同士を接続する狭い範囲のネットワーク

ハブ　パソコンなどの機器をLANに接続するための集線装置。USB用のハブもある

router

ルーター

ネットワーク同士を接続して転送作業を受け持つ

行き交うデータ（パケット）に対して、指定された宛先に応じた最適な経路を選択、次のネットワークに乗せ換えるための処理を加えてデータを送り出す。

ルーターの機能は、異なるネットワーク間で、パケットと呼ばれるデータのやり取りができるように橋渡しすること。通常は複数のネットワークをまたぐ形で設置され、接続しているネットワークからネットワークへの転送を処理する。

ルーターは、一方のネットワークからパケットを受け取ると、IPアドレスで宛先のコンピューターを確認し、そこまでの経路にあるネットワークを判断する。その際には、ルーティングテーブルという経路表を参照して転送先を決める。また、パケットは一定のフレームに格納された状態なので、いったんパケットを取り出して行き先に応じた新しいフレームに格納し直してから、パケットを送り出す。各ルーターがこれを繰り返すことで、異なるネットワークにあるコンピューターにデータが届く。

ルーターがネットワーク間の橋渡しをする

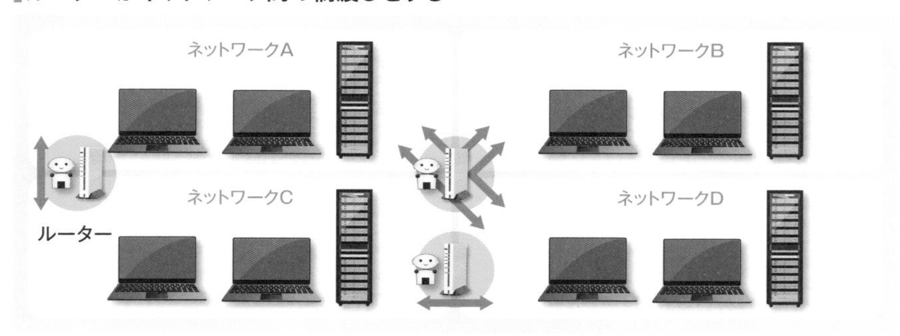

ルーターは、接続しているネットワークからネットワークへの転送処理を受け持つ

ワンポイント

ルーターからルーターへのバケツリレーでパケットが目的地に届く。

これもキーワード

パケット　インターネットを行き交う分割データの単位 (→P76)

マックアドレス；Media Access Control address

MACアドレス

LAN接続の機器に組み込まれた固有の識別番号

LAN機能を備えた全ての機器が持つ固有の番号。物理アドレスとも呼ぶ。48ビットで構成し、ハイフンまたはコロンで区切った16進数12桁で表現する。

インターネットに接続された機器は、それぞれに割り振られたIPアドレスという識別番号を持つが、LANの中では有線・無線を問わず、MACアドレスという固有の識別番号も使う。

IPアドレスは系統的に管理されているので、行き先が世界のどのエリアなのかを簡単に判断できる。一方、MACアドレスは機器の製造段階で決まるので、ほかのネットワークに接続された機器の行き先指定に使うのは難しい。

そもそも、インターネットとLANは別の規格だ。パソコンなどの機器は、LANの中からインターネットにつなぐので、LANの規格に沿った上で、インターネットの規格に合わせたパケットをやり取りする。

同じLAN内の機器同士はMACアドレスで送受信する

ルーターを経由しない同じLANに接続された機器同士は、宛先をMACアドレスで指定することで通信する

ワンポイント

Wi-Fiや有線LANの接続設定にMACアドレスは欠かせない。

これもキーワード

LAN　ビル内や自宅内など局地的な範囲で使うネットワーク (→P80)

IPアドレス　インターネットに接続された機器ごとに振られる識別番号 (→P74)

ワイファイシックス

注目

Wi-Fi 6

大幅に高速化した無線LAN規格の最新版

パソコンやスマートフォンなどで使われる無線LAN（Wi-Fi）で、大幅な高速化を実現した最新規格「IEEE 802.11ax」の通称。Wi-Fiの第6世代を意味する。

コンピューターをネットワークに接続する方法として、有線と無線の2種類がある。有線で接続する場合、LANケーブルを使ってハブやルーターなどの機器に接続する。これに対し、電波を使って無線で接続する方法を無線LANと呼ぶ。この場合は、無線LANルーター（Wi-Fiルーター）という機器を利用する。

この無線LANにおいて相互接続性が認証された製品に付与されるブランド名が「Wi-Fi」。業界団体のWi-Fiアライアンスが認証試験を実施し、合格した製品は「Wi-Fi CERTIFIED」のロゴをパッケージなどに記載できる。このWi-Fiの第6世代に当たる規格に付いた通称がWi-Fi 6だ。

最初に登場したWi-Fi規格は、1997年に作られた「IEEE 802.11」。この名前は、IEEE（米電気電子技術者協会）で1980年2月に組織された「802」委員会の「11」番目のグループという意味だった。それ以降、Wi-Fi規格は「IEEE 802.11a」「IEEE 802.11b」「IEEE 802.11g」などのように、IEEE 802.11の末尾に小文字のアルファベットを付けるのが慣例になっ

Wi-Fiならケーブルなしでネットに接続

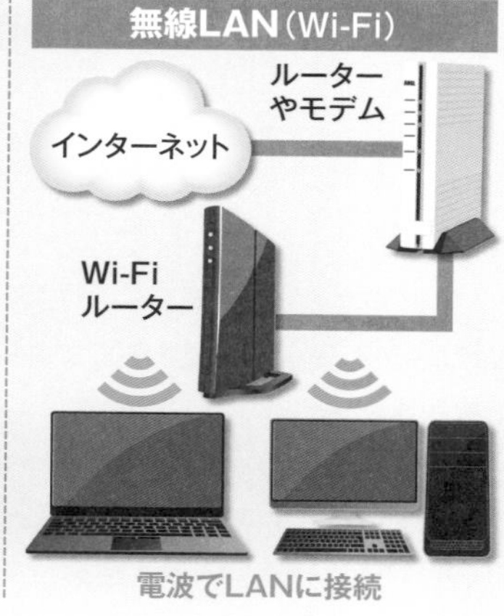

ケーブルでデータをやり取りする有線LANと違って、無線LAN（Wi-Fi）は、ルーターなどの親機と、パソコンやスマートフォンなどの子機とを電波を使って接続し、データをやり取りする

た。6世代目の新規格はIEEE 802.11axが正式な規格名であり、略して「11ax」と表記されることも多い。

しかし、11n、11ac、11axといった名称は、無線LANに詳しくない一般の利用者にとって、どちらが新しい規格なのかを判断しにくい。そこでWi-Fiアライアンスは、11axの登場に際してWi-Fi 6という呼び名を定めた。これに合わせる形で、第5世代に当たる11acと第4世代に当たる11nにも、「Wi-Fi 5」「Wi-Fi 4」という呼び名が付けられた。現在販売されているWi-Fi 6対応製品は、製品パッケージなどに「Wi-Fi 6」と記載されているが、「11ax」という本来の規格名を併記しているものが多い。

Wi-Fi規格は世代を追うごとに通信速度が高くなっている。理論上の最大通信速度はWi-Fi 4が600Mbps、Wi-Fi 5が6.93Gbps、Wi-Fi 6が9.6Gbps。さらにWi-Fi 6は「OFDMA」という技術にも対応し、複数の端末が同時に接続したときでも安定した通信が可能になっている。Wi-Fi 6を拡張し、2.4GHz帯と5GHz帯のほか、6GHz帯を加えた新規格「Wi-Fi 6E」も発表されている。

Wi-Fi 6は大幅な高速化を実現した無線LANの第6世代

世代	通称	規格名	最大通信速度	周波数帯	規格策定年
第6世代	Wi-Fi 6	IEEE 802.11ax	9.6Gbps	2.4GHz／5GHz	2020年
第5世代	Wi-Fi 5	IEEE 802.11ac	6.93Gbps	5GHz	2014年
第4世代	Wi-Fi 4	IEEE 802.11n	600Mbps	2.4GHz／5GHz	2009年
第3世代	—	IEEE 802.11g	54Mbps	2.4GHz	2003年
第2世代	—	IEEE 802.11b	11Mbps	2.4GHz	1999年
	—	IEEE 802.11a	54Mbps	5GHz	1999年
第1世代	—	IEEE 802.11	2Mbps	2.4GHz	1997年

1997年に登場したIEEE 802.11を第1世代とすると、Wi-Fi 6は第6世代となる。Wi-Fi 6の規格上の最大通信速度は9.6Gbpsで、2.4GHz帯と5GHz帯の両方を利用できる。親機と子機の両方が対応する必要がある

ワンポイント

最大通信速度は理論値。実際の速度は機器の仕様や通信状況で異なる。

これもキーワード

無線LAN　電波を使ってLANに接続する方法。無線LAN規格の通称がWi-Fi
Wi-Fiルーター　ネットワークを相互接続するルーターで無線LAN対応の機器
IEEE 802.11ax　Wi-Fi 6の正式な規格名。IEEEは米電気電子技術者協会

マイモ：multiple input multiple output

MIMO

複数のアンテナで無線LANの通信を高速化する

Wi-Fiの高速化技術の一つ。ストリームと呼ぶデータの通信経路を複数用意し、別々のアンテナで送受信する。ストリーム数が多いほど速度が高い。

Wi-Fi 4（IEEE 802.11n）以降で利用できる高速化技術の一つ。ストリームと呼ぶデータの通信経路を複数用意し、複数のアンテナで同時に伝送できるようにする。基本的に1本のアンテナで1つのストリームを構築するため、アンテナ数が多いほど最大通信速度が高くなる。Wi-Fiルーターのパッケージなどに「2×2」や「4×4」などと記載されているのは、「送信ストリーム数×受信ストリーム数」を表している。

MIMOでは送信側と受信側の機器が1対1で通信するが、この技術を応用した「MU-MIMO（マルチユーザーMIMO）」では1対多での通信が可能。空いているアンテナを使ってほかの機器とも同時に通信できるため、1台の親機に複数台の子機が接続しているような環境でも速度の低下を防ぎやすい。

複数のストリームを使って同時にデータを伝送

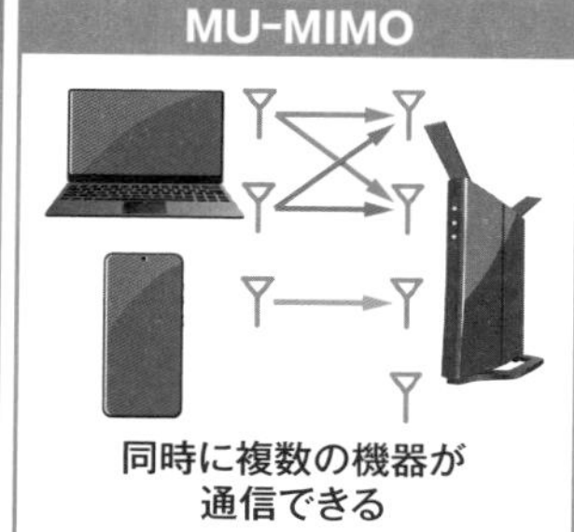

MIMOは複数のアンテナで並列に信号を送り、同数のアンテナで受信する。MU-MIMO（Multi-User MIMO）はその機能を拡張し、親機の空きアンテナで別の端末とも同時に通信する

ワンポイント

Wi-Fiルーターの対応ストリーム数は、「4×4」（送信×受信）などと記載される。

これもキーワード

チャンネルボンディング　複数のデータ伝送路を束ねることで高速化する技術
ビームフォーミング　電波を細く絞り込み、特定の方向に集中的に送信する技術

mesh network

メッシュネットワーク

最新

複数機器の連携で無線LANの範囲を拡大する

複数のルーターなどがネットワークを構築することで、無線LANが届く範囲を広げる技術。中継機を利用するより通信の速度の向上などが期待できる。

複数の無線LAN（Wi-Fi）ルーターなどを連携させて網目（メッシュ）のように電波を張り巡らせることで、広範囲でWi-Fiを利用可能にする技術、またはそのネットワーク環境のことをメッシュネットワークという。距離や障害物により電波が届きにくい場所でも電波状況を改善できる。

「中継機」を使ってWi-Fiの利用範囲を広げる方法もあるが、中継機は特定の親機の利用範囲を延長するもので、中継機にトラブルが発生すれば親機への通信も途切れる。また、同じ周波数帯での送受信を同時に行えないため、親機との間と子機との間で同じ周波数帯を使うと、規格上の通信速度が半減する。

一方、メッシュネットワークの場合、網目を構成する機器のうち1台にトラブルが発生しても、ほかに機器があればそちらの経路で通信を維持できる。中継機で起こるようなような速度の半減はない。

Wi-Fiの電波を網目（メッシュ）のように張り巡らせる

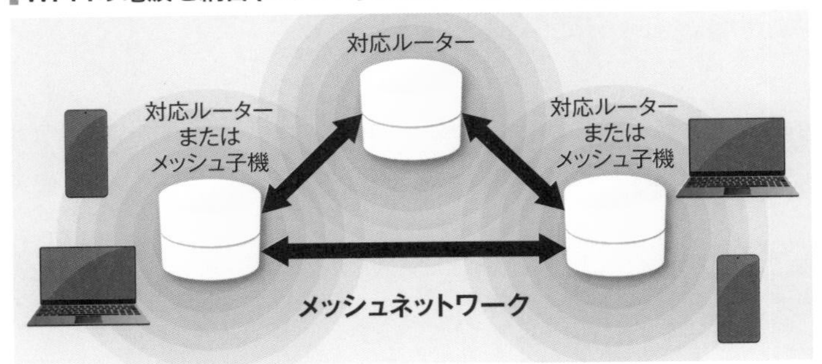

メッシュネットワークは、複数のルーターまたはメッシュ子機が連携して電波を張り巡らせることで、広範囲で最適な通信を実現する

ワンポイント

メッシュネットワークは中継機よりも便利だが、対応機器の価格はやや高い。

これもキーワード

EasyMesh　他社製メッシュネットワーク機器との相互接続性を保証する規格

triband

人気

トライバンド

3つの電波でたくさんの機器を同時に無線LAN接続

Wi-Fiルーターが用いる技術の一つ。2.4GHz帯と5GHz帯2つの計3つの電波を利用でき、接続する機器が増えても速度が低下しづらい。

トライバンドは、無線LAN（Wi-Fi）ルーターで使える電波を3つ設けることで、多くの機器を同時に接続した場合でも通信速度が低下しにくくなる技術だ。

Wi-Fiが使用する電波の周波数帯は大きく分けて2.4GHz帯と5GHz帯の2つがあり、同じ周波数帯を使う機器が増えるほど、混雑により通信速度は遅くなる。通常のWi-Fiルーターは2.4GHz帯と5GHz帯の両方の周波数帯を利用でき、これを「デュアルバンド」と呼ぶ。

一方、トライバンドに対応したルーターでは、5GHz帯をさらに2系統に分け、3つの電波で同時に通信できるようになる。その結果、接続する機器が増えても、負荷を分散させて速度の低下を抑えられる。

なお、5GHz帯のチャンネル（周波数帯を細分化したデータ伝送路）は「W52」「W53」「W56」という3つのグループに分かれているが、トライバンドではW52とW53で1つ、W56で1つの電波を使うことが多い。

トライバンドは3つの電波を使い分けて混雑を緩和

トライバンド対応のWi-Fiルーターは、2.4GHz帯のほかに2つの5GHz帯を利用できる。5GHz帯に接続する機器を分散できるので、接続台数が多い環境では有利

ワンポイント

Wi-Fi接続の機器が増えると、速度だけでなく同時接続台数も重要になる。

これもキーワード

2.4GHz帯　障害物に強く遠くまで届きやすいが、電子レンジなどの影響を受けやすい

5GHz帯　一般に高速で安定しているが、障害物に弱く遠くまで届きにくい

第3章

セキュリティの重要キーワード

phishing

重要

フィッシング

本物そっくりのWebサイトに誘導して個人情報を盗む

実在する企業や団体の名前をかたり、本物そっくりの偽メールで偽のWebサイトに誘導する詐欺。入力させたパスワードやクレジットカード番号などを盗み取る。

メールで送った「餌」で被害者を「釣る」という意味合いの「fishing」に、「洗練」を意味する「sophisticated」を組み合わせた造語とされる。フィッシングでは、メールの差出人名やリンク先のURLなどが偽装されている。リンクをクリックすると本物そっくりの偽サイトが開き、用意されたフォームにIDやパスワード、クレジットカード情報などを入力させる。

偽のメールは、有名な企業や団体が送っているように見せかけるので注意が必要だ。メールアプリの差出人欄に表示される名前だけで信用してはいけない。まずは、メールアドレスを確認しよう。たいていは、「@」マークより後ろにあるドメイン名で判別できる。ただし、ドメイン名まで偽装してい

偽のWebサイトに誘導してパスワードを入力させる

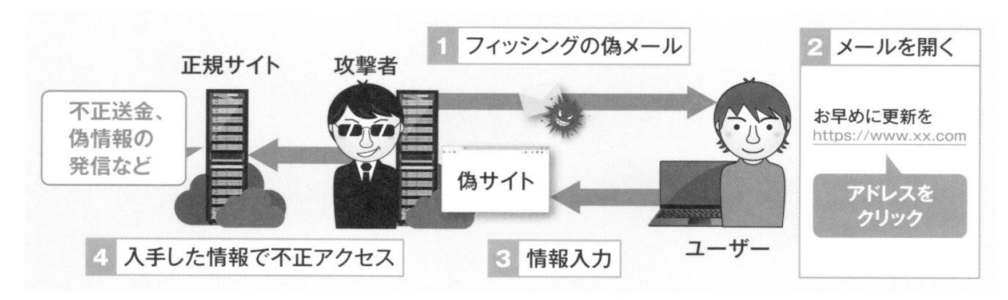

攻撃者は偽サイトのURLを記載した偽メールを送りつける。受け取ったユーザーが偽サイトを開いてIDとパスワードを入力すると、攻撃者がそのアカウント情報を入手して不正に利用する

メールアドレスのドメイン名で偽メールを見破る

正規	日経太郎 ＜nikkeitaro@sample.co.jp＞ 表示名 / ドメイン名
偽メール	日経太郎 ＜nikkeitaro@sample.co.cc＞ 正規と同じ / ここが違う

表示名の後ろに記載された実際のメールアドレスをよく確認する。「@」より後ろにあるドメイン名が正規のものと違うなら偽メールだ。ただし、ドメイン名まで偽装する手口もあるので、さらに注意する必要がある

る可能性もある。

メールではなく、スマホ利用者を対象にショートメッセージサービス（SMS）でフィッシングを仕掛ける事例も多い。この手口をスミッシング（smishing）と呼ぶ。SMSとフィッシングを組み合わせた造語だ。

宅配便の再配達サービスやECサイトなど、実際にSMSで交わされるやり取りに似せて偽サイトに誘導し、本人確認を装ってIDやパスワード、個人情報などを入力させる。SMSに記載されたURLをタップさせることで偽のWebブラウザーのインストールを促し、そこから個人情報を収集したり、新たなスミッシングの発信源として悪用したりする事例もある。

SMSのスレッドに紛れ込む手口も

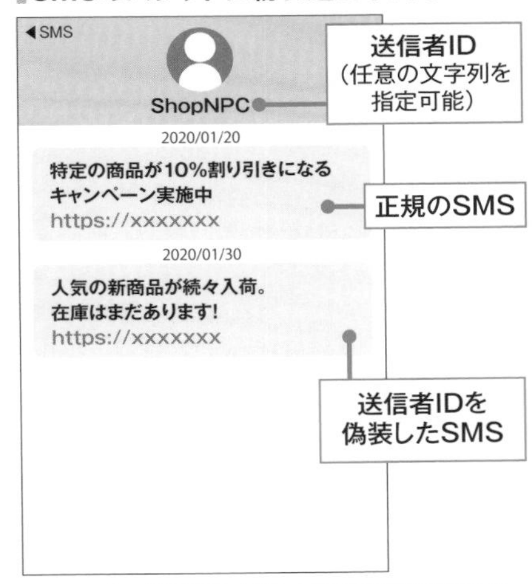

スミッシングでは送信者IDを偽装することで正規SMSのスレッドに紛れ込む手口もある

スミッシングはiPhoneとAndroidで攻撃方法が異なる

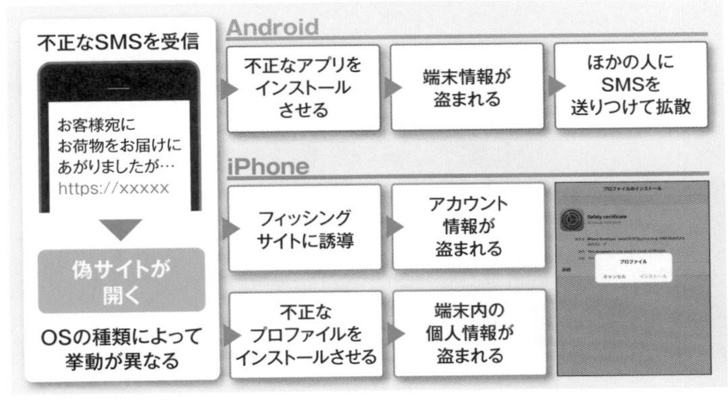

実際にあったスミッシングの攻撃では、Androidスマホと iPhoneとで方法が異なっていた。Androidでは、不正アプリをインストールさせて端末情報を盗み出し、ほかの人にSMSを送りつけて被害を拡大させる。iPhoneでは、偽サイトに誘導してアカウント情報を盗む

ワンポイント

銀行や証券会社など金銭を扱うアカウントが特に狙われる。

これもキーワード

偽メール　有名な企業や団体を装い、ネット詐欺やサイバー攻撃をもくろむメール

スミッシング　SMSを巧妙に悪用して偽サイトに誘導する手口のフィッシング

第3章

ワンクリックさぎ ; one-click fraud

ワンクリック詐欺

Webページのクリックで架空の高額請求

Webページにアクセスしただけ、あるいは画像やリンクをクリックしただけで料金を請求するネット詐欺。ワンクリック架空請求などとも呼ぶ。

ワンクリック詐欺を行うWebサイトは、たまたま訪れたユーザーを巧妙にだまして金銭や情報を巻き上げようとする。Webページに仕込んだリンクをクリックするだけで、パソコンのIPアドレスを表示してユーザーを特定できていると思わせたり、スマホではカメラのシャッター音を鳴らして不安をあおったりもする。

しかし、IPアドレスなどの情報は、インターネットの仕組み上、普通に行き交っている。カメラ機能をリモートで乗っ取るのが不可能とは断言できないが、クリックやタップだけではほぼあり得ない。とはいえ、パソコンやスマホをウイルスに感染させ、請求画面を繰り返し表示する手口もあるので、不用意に近づかない方が無難だ。

怪しげなアダルトサイトで架空請求される事例が多い

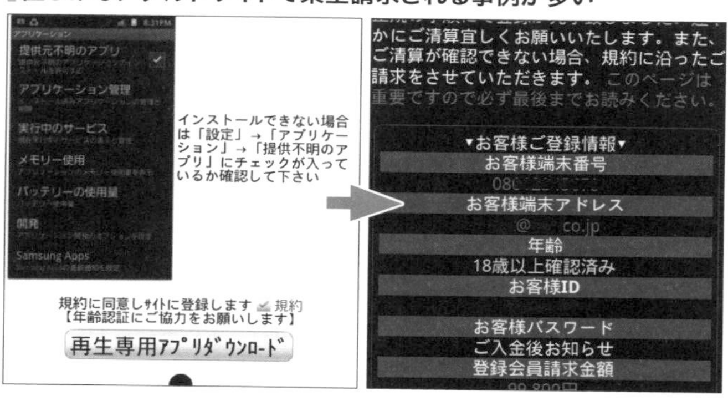

スマホ用のアダルトサイト再生アプリを装って、金銭を要求する詐欺の例（画像提供：トレンドマイクロ）。スマホの場合は、端末の電話番号などを表示して利用者を脅す手口もある

ワンポイント

架空請求は無視できるが、ウイルス感染などの可能性もあるので要注意。

これもキーワード

ウイルス　悪質な行為と増殖を繰り返す不正プログラム（→P163）

Webカメラ　映像をリアルタイムでWeb配信できるカメラ全般を指す

こくさいワンぎりさぎ

国際ワン切り詐欺

折り返しの電話で高額な国際電話料金

国際電話を悪用した詐欺。ワン切りの着信履歴を見て、着信者が折り返して電話をすると高額な国際電話料金を請求される。より巧妙な手口もある。

心当たりのない相手からの着信履歴があったとき、不用意に折り返して電話をするのは危険。国際電話を悪用したワン切り詐欺の場合は、高額な電話料金の請求につながる。相手は、海外から国際電話を掛けて即座に切り、着信履歴だけを残す。この着信履歴を見て着信者が折り返しの電話を掛けてくることを狙っているのだ。

あるいは、簡単に金品が得られるイベントの連絡先などと偽って、詐欺に使う国際電話の番号をSNSで拡散させ、電話を掛けるように仕向ける手口もある。

犯罪組織が海外の電話会社と結託し、電話料金の一部を受け取っているとみられる。ギニアやキリバス、コンゴなどが発信元の国際ワン切り詐欺が報告されている。怪しげな着信や不確かな連絡先の国際電話は無視することだ。

海外の電話会社が犯罪組織と結託

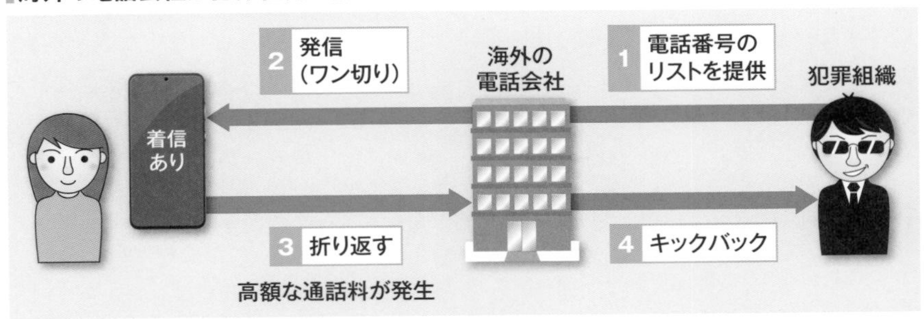

犯罪組織が海外の電話会社に電話番号のリストを提供し、国際電話によるワン切りをさせる。着信者が折り返しの電話を掛けると、通話を巧妙に長引かせて高額な通話料を請求。その料金の一部が犯罪組織にキックバックされる

ワンポイント

昔からある詐欺だが、電話を掛けさせる手口は巧妙化している。

これもキーワード

キックバック 当事者間の共謀で、支払い料金の一部を不正に払い戻すこと

ひょうてきがたこうげき；targeted attack

重要

標的型攻撃

特定の企業や組織を狙う巧妙なサイバー攻撃

特定の企業や組織を狙ったサイバー攻撃。送信する偽メールに実在する部署やスタッフの名前を記載するなどで信用させようとする巧妙な手口が特徴。

特定の企業や組織などを狙って、メールに添付したウイルスなどを使い、重要な情報を盗み出そうとするのが標的型攻撃。顧客情報や取引情報などを狙う攻撃もあり、企業にとっては社会的な信用を失いかねない脅威だ。

多くの標的型攻撃は、標的とする企業や組織を事前に調査する。実在する部署やスタッフの名前をかたるなど、関係者からのメールに見せかけることで、攻撃の成功率を高める。メールを受け取った相手に違和感なく添付ファイルをクリックさせ、ウイルスに感染させるのが狙いだ。事前にもっともらしいメールのやり取りをして相手を信用させた後にウイルスを添付して送る手口もある。

標的を定めて仕掛けるランサムウエアもある。一般的なランサムウエアは、不特定多数のパソコンに感染させ、復旧するためと称して数万円前後を要求する。しかし、標的型のランサムウエアは、特定の企業を狙い撃ちにして一獲千金をもくろむ。特定企業の社内ネットワークに侵入して、ネットワークに接続されている全てのパソコンの中にあるファイルを暗号化する。その上で、暗号化解除の代償として金品を要求する脅迫状を管理部門のサーバーに置く。感染した企業の従業員は、末端のパソコ

標的型攻撃は特定の企業に的を絞って一攫千金をもくろむ

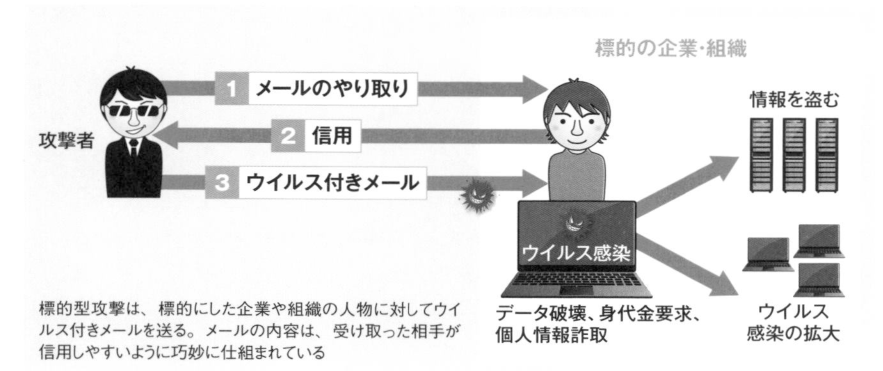

標的型攻撃は、標的にした企業や組織の人物に対してウイルス付きメールを送る。メールの内容は、受け取った相手が信用しやすいように巧妙に仕組まれている

ンに脅迫状が表示されないため、事態に気が付いても困惑するばかりで、作業の中断が長引きやすい。

そのほか、2019年に猛威を振るったウイルス「Emotet（エモテット）」も、標的型攻撃には格好のツールだ。このウイルスは、侵入先で攻撃者の指示を受けて動作するボットの一種。感染者のパソコンから盗んだ情報を使って本人になりすましたメールを自動生成し、それを別のユーザーに送信するのが特徴だ。添付ファイルやリンクを開かせることで感染を拡大する。感染すると、さらにそのパソコンにあるメールの内容や連絡先が奪われて、同様の手口でウイルスをばらまく。

特定企業を狙うランサムウエアもある

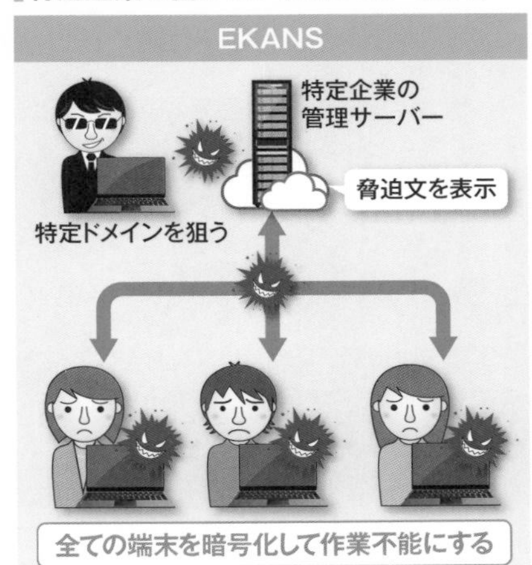

「EKANS（エカンズ）」というランサムウエアは、管理サーバーに脅迫文を表示し、ほかの全ての端末を暗号化する

感染者の連絡先をたどって感染を広げるウイルス

「Emotet（エモテット）」と呼ばれるウイルスは、感染者の連絡先やメールの文面などを盗み取り、ボットを使って自身を拡散する

ワンポイント

ネットの攻撃者は標的を絞ることで、より巧妙な手口を練り上げる。

これもキーワード

サイバー攻撃　ネット経由の攻撃。サイバーはサイバネティックスが由来

ランサムウエア　データを使用不能にして身代金を要求するウイルス（→P98）

ボット　セキュリティ関連では、侵入先で攻撃者の指示通りに動くウイルスを指す

ゼロデイこうげき；zero-day attack

ゼロデイ攻撃

発見直後の無防備な脆弱性をいち早く攻撃する

脆弱性が発見されたシステムに対して、修正プログラムが提供される前に、その脆弱性を狙って行われるサイバー攻撃。対策が困難で深刻な脅威とされる。

悪意のある攻撃の的になり得る欠陥を脆弱性と呼ぶ。脆弱性が発見された場合、開発元はそれを解消するための修正プログラムを速やかに作成して公開する。しかし、発見されてから修正プログラムが公開されるまでの間は無防備だ。ゼロデイ攻撃は、いち早く脆弱性の情報を入手して、この無防備な期間を狙う。

一方、ルーターなどの通信機器で発見された脆弱性は、修正プログラムが公開されても、管理者がそれを適用せずに放置している例が少なくない。脆弱性が放置された機器の情報は、アンダーグラウンドのネットワークで流通しているという。そうした情報を入手し、既知の脆弱性を狙う手法を「Nデイ攻撃」と呼ぶ。

修正プログラム適用前の無防備な状態を狙う

システムの脆弱性が発見されたとき、開発元がそれを解消する修正プログラムを公開する前に、その脆弱性を狙った不正プログラムでシステムを攻撃する

ワンポイント

運用上の注意と工夫でゼロデイ攻撃のリスクを最小限にするしかない。

これもキーワード

脆弱性　システムに存在する弱点や欠陥。セキュリティホールとも呼ばれる

Nデイ攻撃　既知の脆弱性を修正していないシステムを狙うサイバー攻撃

リストこうげき；list based attack

基本

リスト攻撃

流出アカウントでほかのWebサイトに不正アクセス

Webサイトなどから流出したIDとパスワードのリストで、ほかのWebサイトへの不正アクセスを試みる。パスワードの使い回しは被害のリスクが増大する。

リスト攻撃は、パスワードを破るために攻撃者が使う手法の一つ。セキュリティの甘いWebサイトなどから大量のIDとパスワードを盗み出し、そのリストにあるIDとパスワードで、ほかのWebサイトに対して無差別に不正アクセスを試みる。

そのため、同じIDとパスワードを複数のWebサイトで使い回しているユーザーは、リスト攻撃によって不正アクセスの被害に遭うリスクが極めて高い。不正アクセスの手口には、文字の組み合わせを全て試す「総当たり攻撃」、一般的な単語を片っ端から試す「辞書攻撃」などもある。リスト攻撃はその中でも効率的といわれる。

不正アクセスを狙う攻撃者には効率的な手口

1 総当たり攻撃

1111111
1111112
1111113
1111114
1111115
1111116
⋮

2 辞書攻撃

password
baseball
soccer
orange
japanese
⋮

3 リスト攻撃

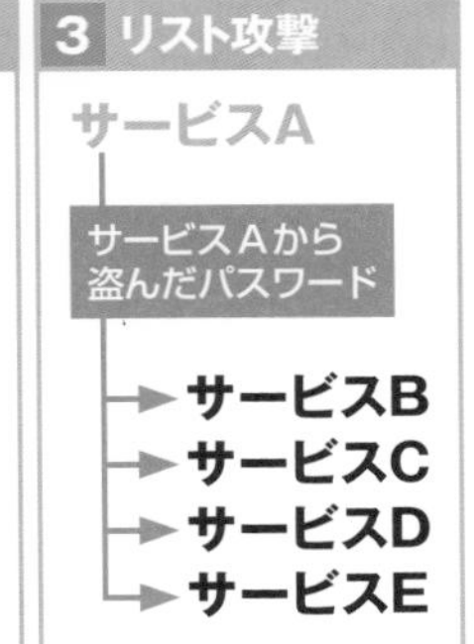

パスワードの破り方には、全ての組み合わせを試す「総当たり攻撃」、一般的な単語を片っ端から試す「辞書攻撃」、ほかで入手したリストを各種サービスで試す「リスト攻撃」がある。パスワードを使い回していると、リスト攻撃による被害に遭いやすい

ワンポイント

パスワードを使い回すと、リスト攻撃による被害に遭いやすい。

これもキーワード

- **不正アクセス**　他人のアカウントを盗み、システムやサービスを不正に利用すること
- **総当たり攻撃**　全ての文字の組み合わせを順番に試してパスワードの突破を図る
- **辞書攻撃**　一般的な単語の組み合わせを順番に試してパスワードの突破を図る

ransomware

注目

ランサムウエア

データを使用不能にして身代金を要求する

感染したパソコンのファイルなどを暗号化することで使用不能にし、元に戻したければ仮想通貨などで金銭を支払えと要求するウイルス。

「ランサム（ransom）」は身代金という意味であり、身代金要求型ウイルスとも呼ばれる。「人質」になっているのは、勝手に暗号化されたパソコンの中のファイルだ。身代金を支払ったからといって、ファイルが復旧されるという保証は全くない。身代金は、ビットコインなどの仮想通貨で支払うように要求されることが多い。

2017年に出現した「WannaCry（ワナクライ）」というランサムウエアは、日本を含む150カ国で23万台以上のコンピューターに被害を及ぼしたといわれる。米国では近年、自治体がランサムウエアの攻撃を受ける事例が相次いだ。その中には、システム復旧のための身代金を支払った自治体もあったという。

身代金要求のメッセージを感染パソコンに表示する

感染者のパソコンを暗号化し、データを元に戻す対価として仮想通貨を求める。画面は2017年に世界各地で大流行した「WannaCry」の例

ワンポイント

身代金を支払ったとしても、無事に復旧されるという見込みはほとんどない。

これもキーワード

暗号化　情報を一定の規則で組み替え、第三者が利用できないようにすること

仮想通貨　暗号技術で管理される独立したネットワーク上の通貨（→P22）

spyware

スパイウエア

パソコン内に潜んで収集したユーザー情報を送信する

パソコン内にあるユーザーの情報を勝手に収集して外部に送信する不正プログラム。キー入力の履歴を収集してパスワードを盗み出すようなタイプもある。

スパイウエアは、添付ファイルの展開時やWebサイトの閲覧時に侵入するほか、無料アプリのインストールや、懸賞・アダルトサイトなどのWebサービス加入時にも侵入する。感染すると、怪しげなポップアップ広告を表示する、Webブラウザーのホームページ設定を書き換える、キー入力履歴を収集してパスワードを盗み出すなど、いろいろな挙動をする。悪質なサイトへ誘導したり、仮想通貨のマイニングのための処理をパソコン内でひそかに実行したりする例もある。

なお、Webブラウザーに潜伏して閲覧履歴を収集し、執拗にポップアップ広告を表示するなどの不正プログラムは「アドウエア（adware）」と呼んで区別する場合もある。広告（advertising）という単語を組み合わせた造語だ。

侵入したパソコンで収集した情報を外部に自動送信する

スパイウエアは、感染したパソコンの内部で情報を収集し、特定のサーバーに送信する。広告表示が目的のアドウエアも、スパイウエアと同一視される

ワンポイント

不特定多数が使うパソコンにスパイウエア仕込んで情報を盗む犯罪もある。

これもキーワード

アドウエア　Webブラウザーの履歴を勝手に収集して広告を表示するプログラム

キーロガー　キーボードの操作や入力内容を記録する特殊なプログラム

malware

基本

マルウエア

攻撃を目的にした全ての不正なプログラム

ウイルスやワームなど、不正かつ有害に動作するように作られたプログラムの総称。「悪意のあるソフトウエア（malicious software）」の略。

コンピューターシステムを狙う攻撃は、複雑かつ多様化している。不正行為を目的としたプログラムを旧来の考え方で分類するのが困難になり、マルウエアという呼び方で総称するのが一般的になった。マルウエアが狙うのはパソコンやスマホ、タブレットだけではない。IoT機器を狙ったウイルスも登場している。インターネットに接続する全ての機器は、マルウエア対策を考える必要がある。

主要な不正プログラムの分類

- ウイルス
- スパイウエア
- ランサムウエア
- トロイの木馬
- ワーム

マルウエアとされる主要な不正プログラム。マルウエアは広い意味で悪意のあるプログラム全般を指す

マルウエアの脅威は時代とともに拡大している

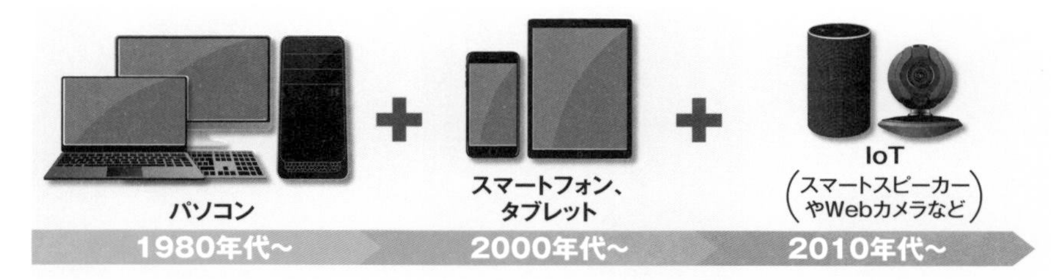

マルウエアが狙う主要な攻撃先。パソコンだけでなく、スマートフォンやIoTなどネットワークにつながる機器全般が標的だ

ワンポイント

さまざまな亜種が登場しており、マルウエアを開発するツールもある。

これもキーワード

ウイルス　悪質な行為と増殖を繰り返す不正プログラム （→P163）

ワーム　自己増殖を繰り返してストレージや処理能力を圧迫する不正プログラム

dark web

ダークウェブ

犯罪の温床になる見つからないWebサイト群

インターネットで、特殊な方法でしかアクセスできない仕組みのWebサイト群。ネット検索で見つかることはない。犯罪の温床になっている例が多い。

インターネットでのやり取りは、IPアドレスと介在するインターネット・サービス・プロバイダー（ISP）からの情報で、発信者をおおむね特定できる。しかし、アクセス経路をたどるのが実質的に不可能な仕組みを使って、発信者が特定されないようにするTor（トーア）などの匿名化ネットワーク技術もある。いくつもの暗号化を重ね、ランダムな経路で追跡を困難にする。

Torは、軍事用の通信内容や通信元を隠すなどの目的で開発された技術であり、仕様が公開されている。それが犯罪の温床となるダークウェブの技術にもなった。そこでは大規模な闇マーケットが形成され、決済にはビットコインなどの仮想通貨が利用されるという。たびたび摘発されて閉鎖に追い込まれているが、依然としてダークウェブの利用者は後を絶たない。

ダークウェブで使われるTor（トーア）の仕組み

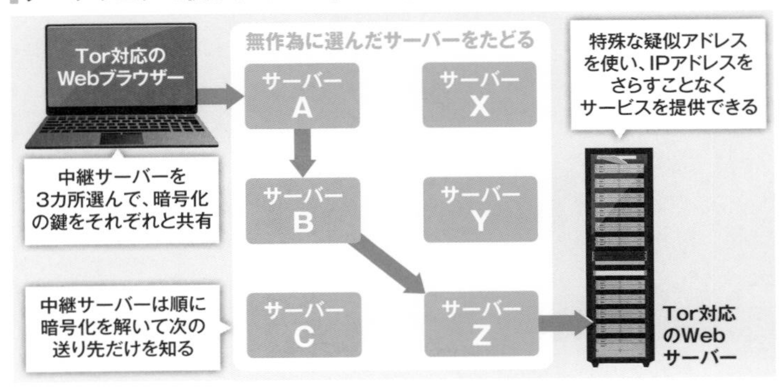

ダークウェブでは、Torなどの仕組みを使い、幾重にも暗号化したデータをやり取りすることで匿名性を守る。特殊なWebブラウザーでアクセスする

ワンポイント

Torには、権力からの監視を回避したい投稿者を守る役割もある。

これもキーワード

Tor　匿名化ネットワークを実現する技術。幾重にも暗号化を重ねて送信する

sandbox

サンドボックス

怪しいプログラムを試せる安全な隔離環境

システム本体から隔離された仮想的な動作環境。サンドボックス内で問題のあるプログラムを実行しても、システム本体には影響を及ぼさない。

子供が遊ぶ砂場（サンドボックス）を設けるように、プログラムを実行可能な保護された環境を設ける。そこでは、ウイルスなどの不正プログラムが実行されても、システムに影響を及ぼしたり、データを勝手に盗み取ったりすることはできない仕組みだ。OS内に作った仮想的なハードウエア環境でもう一つのOSを稼働させる、仮想化という技術を利用している。

Windows 10ではProエディション以上で「Windows Sandbox」というサンドボックスを利用できる。サンドボックスの中ではWindows 10の環境が丸ごと再現され、自由にプログラムを動かせるが、仮にウイルスに感染してもその外側には影響を及ぼさない。

Windows 10 Proは標準機能でサンドボックスが使える

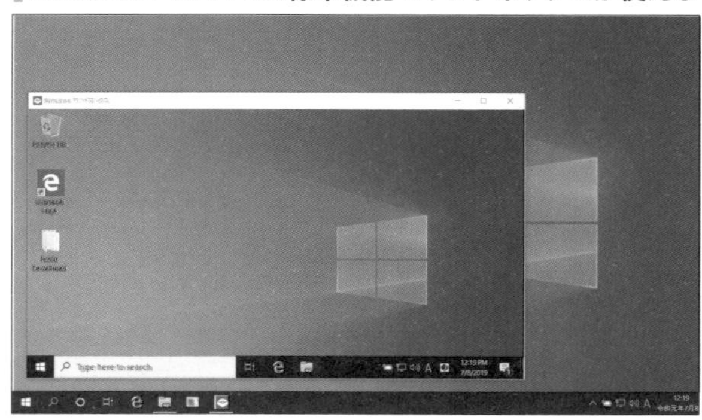

Windows 10 Proには「Windows Sandbox」というサンドボックスの機能が用意されている。サンドボックス内であれば、ウイルスに感染してもシステムには影響を与えない

ワンポイント

仮想化は、サーバーで多用されるコンピューターの利用技術。

これもキーワード

仮想化　OS内に作った特別な環境でもう一つのOSを稼働させること

マルウエア　攻撃を目的にした全ての不正なプログラムの総称 (→P100)

zero trust

最新

ゼロトラスト

相手が社内でも信用しないセキュリティ対策

社内LANとインターネットを隔てる境界での対策だけに頼らず、境界内からでも攻撃される可能性があるとするセキュリティ対策の考え方。

クラウド化やテレワークなどの普及で、企業ネットワークにおける社内と社外の境界が曖昧になってきた。ファイアウオールで社内と社外を分ける従来の方法では、十分なセキュリティの確保が難しくなりつつある。そこで注目されているのが、ゼロトラストという考え方だ。攻撃されることを前提として、全ての通信を信用せずに常時監視したり権限を最小化したりすることでセキュリティを高める。

ゼロトラストでは、接続元が社内か社外かという分け方をせず、データやサービスごとに認証する。また、利用者ごとの行動範囲を設定する認可プロセスも導入する。頻繁な認証操作による生産性の低下が懸念されるが、追加の認証なしで複数のデータやサービスにアクセスできる仕組みなどで緩和できるという。

安全圏でも攻撃されることを前提にしてセキュリティを高める

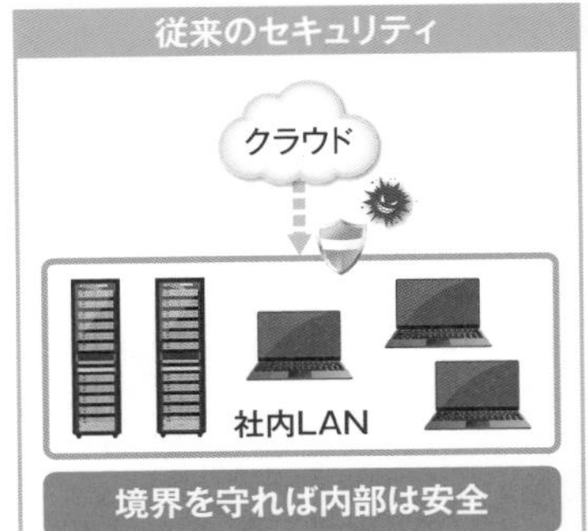

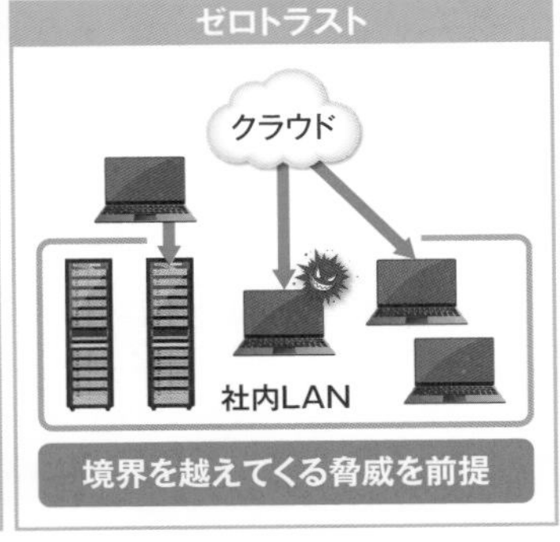

社内LANなどの境界を守るだけでは安全とは言えない。ゼロトラストは、境界を越えてくる脅威を前提にした対策を指す

ワンポイント

境界部分に施した対策だけに頼ることなく、新しい防御手段を構築する。

これもキーワード

ファイアウオール　インターネットからLANへの不正侵入を防ぐ監視機能

にだんかいにんしょう：2-step verification

重要

2段階認証

パスワード認証後の再認証で厳重に本人確認

Webサービスなどの本人確認で、IDとパスワードによる認証の後、メールやSMSなどで通知される認証コードの入力を要求する厳重な認証方式。

アカウント（ID）とパスワードは、思わぬ原因で流出する可能性がある。2段階認証は、そんなときの不正ログインを防ぐ安全策だ。正しいIDとパスワードを入力した後、その場限りで有効な認証コードがメールやショートメッセージサービス（SMS）で送られてくる。それを2段階目として入力することで認証が完了する。

この場合、不正ログインを試みる第三者が、本人宛てのメールやSMSの内容を

その場で受け取る認証コードの入力が必須になる

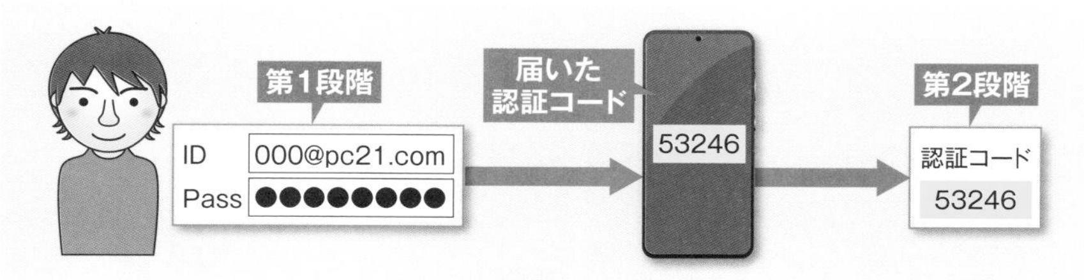

2段階認証を有効にすると、IDとパスワードを入力した後、その場限りで使える認証コードを入力しないとログインできない。認証コードはSMSやメールで届くため、本人以外が不正にログインする可能性を大きく減らせる

認証コードの受け取り方は3通り

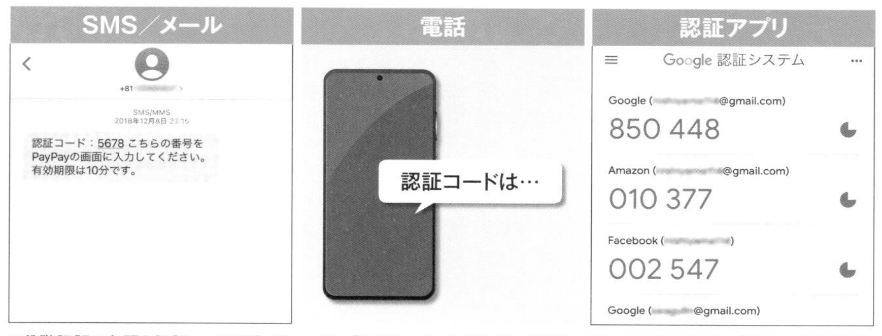

2段階認証で必要な認証コードの受け取りには、「SMS／メール」「電話」「認証アプリ」の方法がある。認証コードを受け取らず、ほかの機器の画面で直接認証する方法もある

同じタイミングで知るのは、通常の方法では困難だ。主要なWebサービスの多くが2段階認証に対応しており、アカウント管理の画面などで設定できる。

メールやSMSで受信せず、認証コードを自動で表示するスマホ用の認証アプリを使う方法もある。2段階認証の設定時に登録しておくことで、数十秒ごとに自動更新される認証コードを表示する。「Google Authenticator（Google認証システム）」や「Microsoft Authenticator」などがあり、同じアプリで他社のWebサービスにも対応可能だ。認証アプリの画面で「承認」ボタンを押すだけという方式もある。

本人確認の手段として、異なる要素を組み合わせて使う2要素認証（または多要素認証）という考え方もある。2段階認証の場合、2段階目で異なる要素を使えば、同時に2要素認証でもある。

要素の種類には、本人しか知り得ない情報を使う「知識認証」、本人の所有物を使う「所有認証」、本人の身体的特徴を使う「生体認証」がある。例えば、銀行のATM（現金自動預け払い機）は、キャッシュカードと暗証番号（PIN、ピン）で認証する。カードによる「所有認証」と、暗証番号による「知識認証」の組み合わせだ。

2要素認証では、パスワードを入力しない本人確認も可能だ。同じアカウントで使う複数の機器があれば、一方の機器に表示される簡単な数字を入力することで認証するなどの方法がある。

2要素認証は異なる要素を組み合わせて認証する

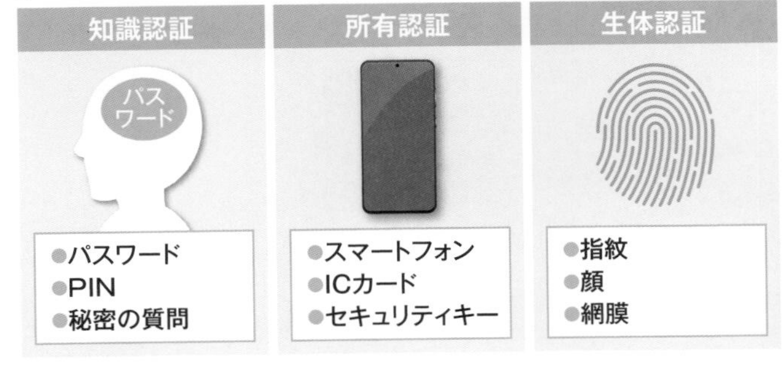

認証の要素とは手段のこと。本人しか知り得ない情報を使う「知識認証」、本人が所有する物を利用する「所有認証」、本人の身体的特徴で示す「生体認証」を組み合わせる

ワンポイント

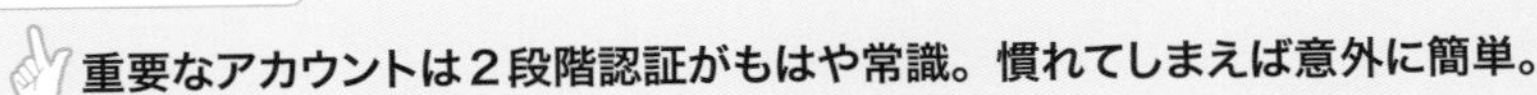

これもキーワード

2要素認証　知識、所有物、生体など、異なる要素の組み合わせで認証する

認証アプリ　2段階認証で必要な認証コードを自動生成するスマホアプリ

PIN　暗証番号のこと。シンプルなので所有認証との組み合わせで使われる

social login

ソーシャルログイン

大手のアカウントをほかのWebサービスにも使う

Webサービスを新しく利用する際に、独自のアカウントではなく、FacebookやTwitter、Googleなどのアカウントを利用してログインできる機能。

複数のWebサービスでそれぞれのアカウントを作成すると、IDやパスワードの管理が大変になる。一方、ソーシャルログインを利用すると、同じIDとパスワードを使い回せる上、アカウント作成時の手間を省ける。ソーシャルログインに利用される大手SNSのアカウントは、2段階認証に対応するなど、セキュリティ対策が充実しているという安心感もある。

半面、大手SNSのアカウント情報が漏れた場合、連携させているサービスにも芋づる式に不正ログインの被害が波及する恐れがある。許諾時に不本意な情報提供が含まれることもあり得る。利用する際には情報提供の内容を十分に確認し、不要になった連携は解除しよう。

ユーザー認証を大手SNSが肩代わりする

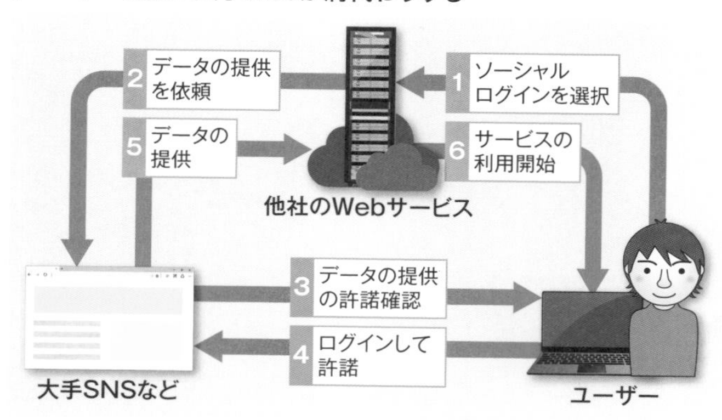

ソーシャルログインでは、大手SNSなどから一部の情報がWebサービスに提供されるが、アカウントのパスワードは提供されない

ワンポイント

信頼できる仕組みだが、不本意な情報提供もあり得るので要確認。

これもキーワード

アカウント　利用者を識別するための符号。IDとほぼ同じ意味で用いられる (→P152)

でんししょうめいしょ：digital certificate

基本

電子証明書

本物であることをネットの第三者機関が保証

インターネット上のやり取りで、間違いなく本人のものであることを証明するための、高度に暗号化されたデータ。第三者機関である認証局が発行する。

電子証明書は、オンラインでやり取りする契約書など、重要な文書で使われる電子印鑑や電子署名において、それが本人のものであることや、改ざんされていないことを証明する用途などに使われる。

インターネット上の通信を暗号化するSSL/TLS技術で、Webサイトの運営者を確認するための電子証明書（サーバー証明書）もある。Webブラウザーでアドレスバーの左端に表示される錠前のアイコンなどから、証明書の発行者（認証局）や発行先（サイト運営者）を確認できる。なお、信頼性の低い認証局が発行する証明書もあるので注意が必要だ。

高度に暗号化された証明書を認証局が発行

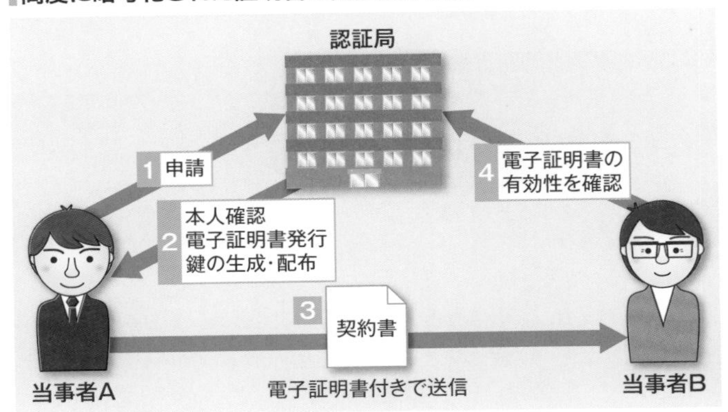

電子証明書の仕組み。第三者機関である認証局が信頼性を担保している

ワンポイント

信頼性の低い認証局の電子証明書が、ネット詐欺に使われることもある。

これもキーワード

認証局　電子証明書を発行する機関。CA局やCAセンターとも呼ぶ

電子印鑑　画面上で印影を付ける機能。電子証明書を付加する方式もある

イーケーワイシー：electronic Know Your Customer

eKYC

その場で本人を撮影するオンラインの確認手続き

各種の契約で必要な本人確認手続きを、オンラインで完結できる仕組み。確認書類と本人の顔を角度を変えながら撮影することで偽装を防ぐ。

「犯罪による収益の移転防止に関する法律」では、特定事業者に顧客などの本人確認や取引記録の保存、疑わしい取引の届け出などを義務付けている。2018年11月にこの法律の施行規則が一部改正され、一定の手順を踏むことで申し込みから本人確認作業までが、オンラインで完結可能になった。

eKYCは、電子的に行う本人確認の手続きを指す。スマートフォンやパソコンのカメラに本人の顔と確認書類を映して申請する。オンラインのまま、カメラに向かって本人の顔や確認書類を指示通りに動かすことで、写真などを使った偽装を防ぐ。送信した映像は事業者が管理画面で目視確認したり、AI（人工知能）で解析したりして、本人かどうかを判定する。郵送などによる書類のやり取りが不要になる。

角度を変えながら映すことで本人と確認書類の偽装を防ぐ

本人と確認書類の一致を確認

映っている本人と
書類の顔写真が
同一人物かを確認

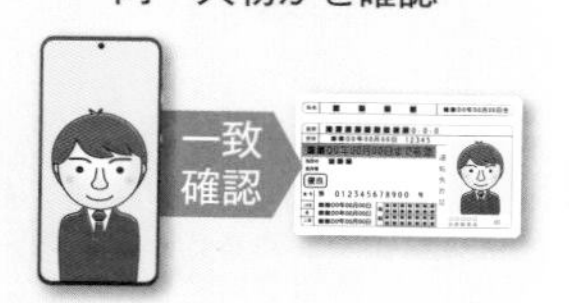

実際の本人であることを確認

画面の指示通りに
カメラや顔を動かして
写真などでないことを確認

本物の確認書類であることを確認

画面の指示通りに
書類を動かして
実物であることを確認

eKYCに沿った本人確認の例。本人と確認書類の顔写真の一致を確認した上で、それぞれが本物であることも確認する

ワンポイント

申し込み手続きで手間の掛かっていた本人確認がオンラインで完結できる。

これもキーワード

KYC　金融サービスなどの事業者が顧客の身元を確認するための手続き

第4章

パソコン&スマホの重要キーワード

ユーエスビータイプシー

重要

USB Type-C

最新USB規格で必須になる小型のUSB端子

USBの接続端子で、パソコン側と機器側の両方の代替として策定された仕様。Micro-Bと同程度の小型サイズであり、今後はType-Cが標準になる。

USBは、パソコンやスマートフォンなどで普及している標準的なインタフェース。「Universal Serial Bus」の略であり、端子には、パソコン（ホスト）側のType-A、周辺機器（デバイス）側のType-BやMicro-B（Micro-USB）などの種類がある。Type-Cはこれらの後継として登場した。サイズはMicro-Bと同程度で、ホスト側にもデバイス側にも使える。上下の区別がないのも大きな特徴だ。

USB規格自体は、1996年に登場したUSB 1.0以降、最大転送速度を高めながらバージョンアップを重ね、2019年には第4世代のUSB4が登場。Type-Cは最新のUSB4で必須となる。ただし、端子がType-Cであっても、旧バージョンの仕様にしか対応していない場合もある。

USB規格の新バージョンは、旧バージョンを取り込む方式なので少しややこしい。例えば、USB 3.1には、最大5Gbpsの

複雑だったUSB端子はType-Cでシンプルになる

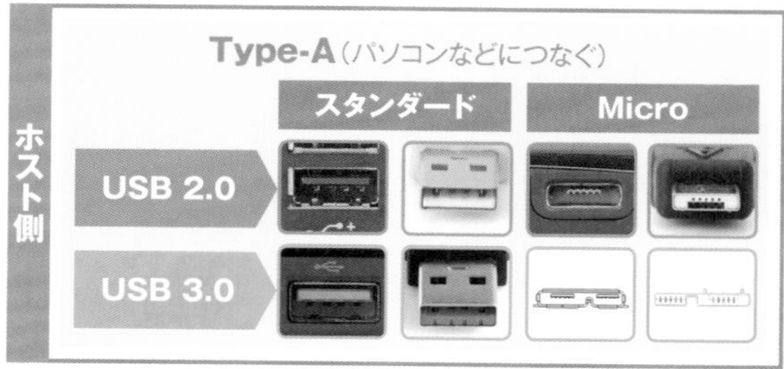

Type-C
（ホスト側にもデバイス側にもなる）

端子形状は1タイプのみ。
旧規格のUSBにも使える

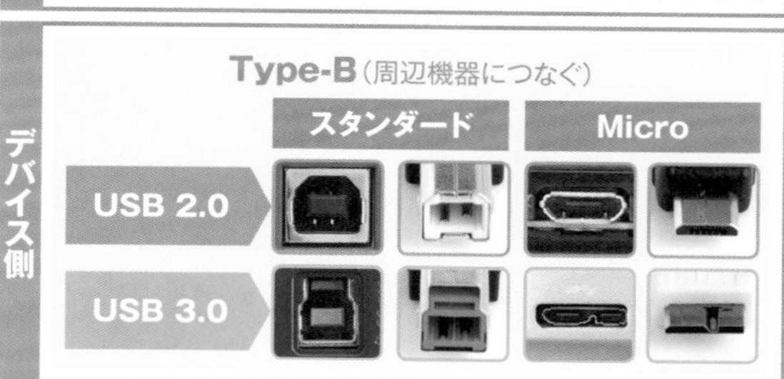

従来のUSB端子は、ホスト側のType-Aとデバイス側のType-Bに分かれており、それぞれで小型のMicro版とUSB 3.0対応版などがある。Type-Cに移行することで端子の種類は1つになる

Gen 1（第1世代）と最大10GbpsのGen 2（第2世代）がある。Gen 1はUSB 3.0規格と同じであり、USB 3.1ならではの新仕様がGen 2になる。同様にして、USB4の新仕様はGen 3になる。

さらに、信号を送るレーンを2系統（×2）にして最大転送速度を2倍にする仕様が加わった。USB 3.2は、USB 3.1（Gen 2）を2系統にしたものであり、最大20GbpsのGen 2 ×2になる。USB4には最大40GbpsのGen 3 ×2もある。

それとは別に、USB Power Delivery（PD）という、Type-Cを使って大電力を供給する規格がある。そもそもUSBは給電可能な仕様であり、例えば、USB 2.0は最大2.5W、USB 3.0は最大4.5W。一方、機器やケーブルがUSB PDに対応すれば、最大100Wまでが可能になる。

USBの新バージョンは旧バージョンを取り込む

規格名（策定年）	最大転送速度	概要
USB 2.0（2000年）	480Mbps	低速な旧仕様
USB 3.0（2008年）	5Gbps	以降のGen 1と同じ
USB 3.1（2013年）	10Gbps（Gen 2）	以降のGen 2×1と同じ
USB 3.2（2017年）	20Gbps（Gen 2 ×2）	レーンを2系統、双方がType-Cのみ
USB4（2019年）	20Gbps（Gen 3 ×1）	双方がType-Cのみ
	40Gbps（Gen 3 ×2）	レーンを2系統、双方がType-Cのみ

各バージョンの概要。USB 3.2策定時に3.0と3.1の名称が見直され、Gen 1やGen 2という呼び方が加わった。USB4は、2020年末から対応製品が徐々に登場している

USB給電の仕様も規格ごとに違う

規格	電圧	電流	最大電力量
USB PD	5V/9V/15V/20V	3A/5A	100W
USB BC 1.2	5V	0.5〜1.5A	7.5W
USB 3.0	5V	900mA	4.5W
USB 2.0	5V	500mA	2.5W

USB Power Delivery（PD）規格では最大100W（20V/5A）と、従来規格と比べて大容量の電力供給ができ、ノートパソコンなども動作可能になる。USB Battery Charging（BC）というスマホ向けの規格もある

ワンポイント

Type-Cで端子は統一されるが、USB規格は転送速度や給電仕様が複雑。

これもキーワード

USB4　最大転送速度が40Gbpsの高速規格。Thunderbolt規格と融合する

USB PD　USBで100Wまで給電可能にする規格。機器ごとの対応が必要

USB BC　USBで7.5Wまで給電可能にする規格。スマホなどで普及している

サンダーボルトフォー

Thunderbolt 4

最新

USB4を取り込んだ最高性能の高速インタフェース

最大転送速度が40Gbpsの高速インタフェース規格。端子の形状はUSB Type-Cであり、最新のUSB4規格に対応するUSB端子としても機能する。

Thunderbolt 4は、USB4が備える仕様のほぼ全てに対応する。一方、USB4という言い方だけでは、いろいろな仕様が一意に定まらないので、最高性能の仕様かどうかは判断できない。

前バージョンのThunderbolt 3は、仕様のほとんどがUSB4規格で新仕様として採用された。Thunderbolt 4は、そのUSB4を取り込んだ上位仕様になる。

例えば、Thunderbolt 4のケーブルはUSB Type-C端子であり、PCI Express（PCIe）やDisplayPort、USB Power Delivery（PD）にも対応する。一方、一般のType-Cケーブルにはいろいろな種類があり得る。そのため、ケーブルごとに対応する仕様を確認する必要がある。

USBとThunderboltの関係は入り組んでいる

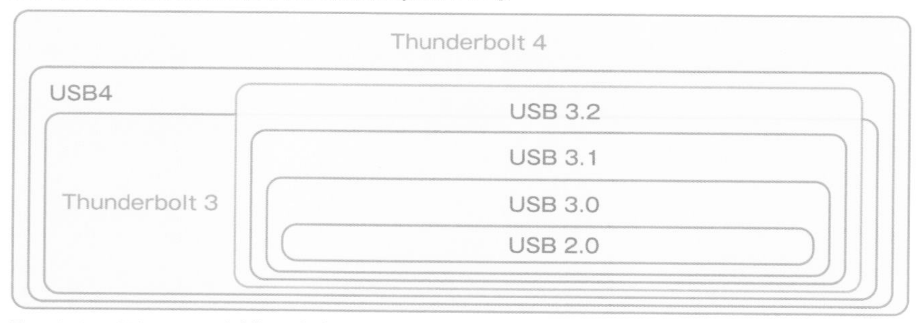

Thunderbolt 3はUSB 3.1を内包した規格だ。そのThunderbolt 3をUSB4が取り込み、さらにUSB4をThunderbolt 4が取り込んだ

ワンポイント

実質的にはUSB4に含まれる全ての仕様を使える上位仕様。

これもキーワード

USB Type-C　Type-AとType-Bの後継になる最新仕様対応の小型端子 (→P110)

Evoプラットフォーム　Thunderbolt 4が前提のインテルのPC認定制度 (→P116)

エッチディーエムアイ：High-Definition Multimedia Interface ／ディスプレイポート

HDMI／DisplayPort

AV家電やパソコンで使われる2つの映像インタフェース

HDMIは、テレビなどデジタル家電での利用を想定した規格。DisplayPortは、主にパソコンとの接続を想定した規格であり、USB Type-C対応が増えている。

パソコンからの映像出力機能は、デジタル化でDVI規格が普及した後、現行製品の多くがHDMIまたはDisplayPortの規格に対応するようになった。

HDMIは、テレビなどデジタル家電の利用を想定した規格。機器同士をHDMIケーブルを介して制御できるのも特徴の一つだ。例えば、レコーダーの再生ボタンを押すと、HDMIケーブルで接続されているテレビの電源が自動的に入る。

DisplayPortは、主にパソコン用ディスプレイとの接続を想定した規格。HDMIとは異なり、映像データを小さなパケットに変換して転送する。データ転送速度の引き上げが容易で、表示解像度やリフレッシュレートを高めやすい。リフレッシュレートは1秒当たりの書き換え回数であり、通常は60Hz（フレーム／秒）だ。数値が高いほど動画を滑らかに再生できる。

USB Type-Cには、USB以外の信号を伝送できるオルタネートモードがあり、HDMIもDisplayPortも対応可能。ただし、HDMIはUSBの信号を同時利用できない。DisplayPortはUSBとの融合が進んでおり、最近の製品はType-C端子での接続が一般的になった。

映像出力用途で2種類の端子が使われている

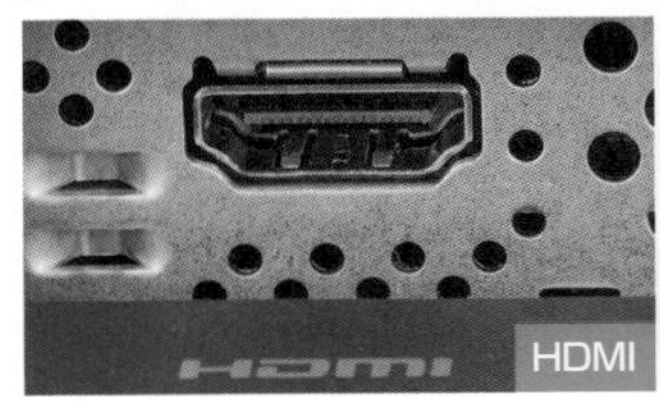

HDMIとDisplayPortの端子形状。どちらの端子にも携帯機器向けのMini仕様などがある。なお、DisplayPortはUSB Type-C端子に移行しつつある

ワンポイント

テレビとパソコンでHDMIが普及。DisplayPortは次世代USBと融合する。

これもキーワード

DVI　パソコンと液晶ディスプレイを接続する規格。端子にはDVI-DとDVI-Iがある

multi-core

マルチコア

CPUに複数のコアを搭載して処理能力を高める

CPUの核となる演算部分をコアと呼ぶ。複数のコアを搭載することで総合的な性能を向上させる。長期的にコア数は増える方向にある。

初期のマルチコアCPUは、コア数が2つでデュアルコアと呼ばれた。その後、4つでクアッドコア、6つでヘキサコアと増えていった。高性能化が目的だが、CPUが実行する処理には、マルチコアに向かないものもある。一般に動画や写真の編集などは、マルチコアの性能を生かしやすい。

マルチコアに関連する仕組みとして、米インテルのハイパースレッディング技術がある。1つのCPUコアを2つあるように見せかけ、2つの処理単位（スレッド）を同時に取り込んで実行する。ただし、4コアCPUの方が、ハイパースレッディング対応の2コアCPUよりも高速に処理できる。

CPUの性能向上はコア数を増やすことで実現

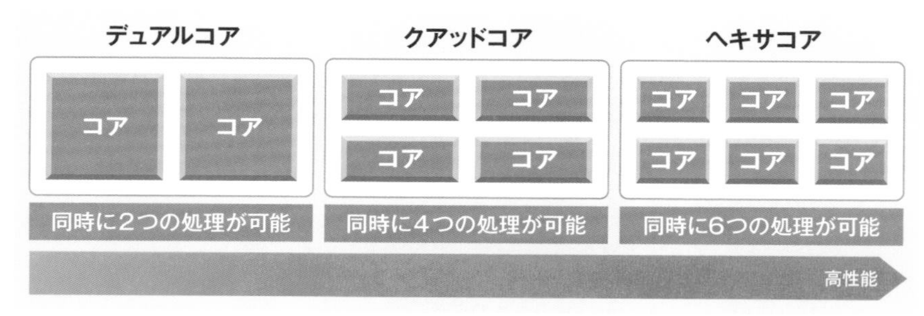

CPUが搭載するコアの数が多いほど、同時に実行できる処理数が増えて性能は向上する。CPUの性能向上は、動作周波数アップがほぼ限界まできたことで、コア数の重視にシフトしている

ワンポイント

CPUコアだけでなく、GPUやAIチップなどの搭載も進んでいる。

これもキーワード

CPUコア　外部とやり取りをする回路などを除いたCPUの核となる演算部分

ハイパースレッディング　CPUを2つあるように見せかけて処理効率を上げる技術

AIチップ　AI処理を高速化するプロセッサー。主にCPUに組み込まれる（→P54）

エスオーシー：system on a chip

SoC

CPUと主要な機能を1つの半導体に集約

CPUコアと同じダイ（半導体本体）に、グラフィックスやチップセットの機能を統合したもの。実装に必要な面積が縮小し、消費電力も抑えられる。

一般的なパソコンは、マザーボードにCPUやチップセット、GPUなど、主要な部品を個別に実装する。SoCは、こういった主要な部品をCPUと同じチップに収めて効率化する。

多くのスマートフォンは、ARMアーキテクチャーのCPUを用いたSoCを搭載する。米クアルコムのSnapdragonや米エヌビディアのTegra 2などが代表的。そのほか、米アップルがMacに搭載するARM系CPUのM1もこのタイプだ。

SoCによって機器は小型化が容易になり、消費電力も抑えやすくなる。特にARM系には独自の工夫があり、一般的なパソコン用CPUの低消費電力タイプと比較してもかなり少ない。

GPUやチップセットの機能を取り込む

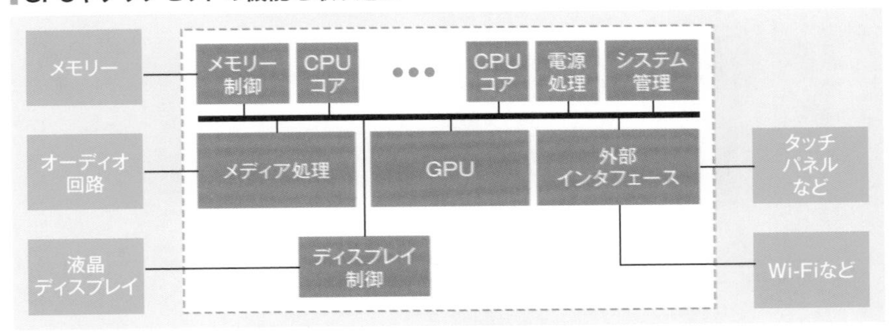

SoCの構成例。スマートフォンなどでは一般的であり、ノートパソコン向けのSoCもある

ワンポイント

多くの機能を1チップに搭載する傾向はパソコン用のCPUも同じ。

これもキーワード

チップセット　CPUとのデータの受け渡しを管理するLSI。CPUの種類で異なる

ARM　スマホで一般的な低消費電力CPU。SoCタイプが多い（→P117）

イーボプラットフォーム；Evo platform

最新

Evoプラットフォーム

インテルが認定する快適ノートパソコンの新基準

幅広い用途で快適に利用できるノートパソコンを認定する制度。第11世代Core搭載を前提にして、利用体験を重視した評価基準を採用しているという。

Evoプラットフォームは、米インテルが2020年9月に開始したノートパソコンの認定プログラム。第11世代Coreプロセッサーを搭載し、幅広い用途で快適に利用できる性能を持つとされる。

パソコンの性能を、CPUやメモリーなど部品のスペックだけではなく、実際の利用環境における使いやすさを基準とした評価項目を掲げて判定する。具体的には、「スリープ状態から1秒未満で起動できる」「実作業で9時間以上バッテリー駆動できる」「30分以内で最大4時間駆動分の急速充電可能」「Wi-Fi 6対応」「Thunderbolt 4対応」などを掲げる。

インテルの第11世代Coreプロセッサー搭載が前提になる

Evoプラットフォームの要件

- スリープから復帰まで1秒未満
- バッテリー駆動は9時間以上
- 30分の充電で4時間のバッテリー駆動
- Wi-Fi 6とThunderbolt 4にの両方に対応

Evoプラットフォームのロゴと具体的な使い勝手に関する要件。起動時間の短縮など、スマートフォンに近い使い勝手が得られるという。右の写真は前提となる米インテルの第11世代Coreプロセッサー

ワンポイント

第11世代CoreとThunderbolt 4を備えた高性能ノートが対象になる。

これもキーワード

Thunderbolt 4　最新のUSB規格を取り込んだ高速なデータ転送規格（→P112）

Wi-Fi 6　最大9.6Gbpsの高速Wi-Fi規格。正式名はIEEE 802.11ax（→P84）

Core　インテルのパソコン用CPU。第11世代は2021年第1四半期に発売

アーム

ARM

注目

パソコンにも使われ始めた低消費電力CPU

英アームが設計するCPUアーキテクチャー。ライセンス提供を受けた各社が開発・製造するCPUの総称でもある。スマートフォンで多く採用されている。

従来、ARMアーキテクチャーのCPUは低消費電力だが低性能、x86/x64アーキテクチャーのCPUは消費電力が大きいが高性能とされた。そのため、ARMはデジタル家電やスマートフォンでの採用が進み、x86/x64はWindowsパソコンやMacが搭載するという状況だった。

しかし、ARMはパソコンにも広がりつつある。2019年に米マイクロソフトは、同社のノートパソコンSurfaceシリーズで、米クアルコムと共同開発したARM系CPUのSQ1を搭載した機種を発売。一方、2020年には米アップルがMacのCPUをx86/x64系からARM系に移行。自社開発したARM系CPUのAppleシリコン「M1」を搭載する新Macを発売した。

MacはARM系の独自CPU「M1」に移行

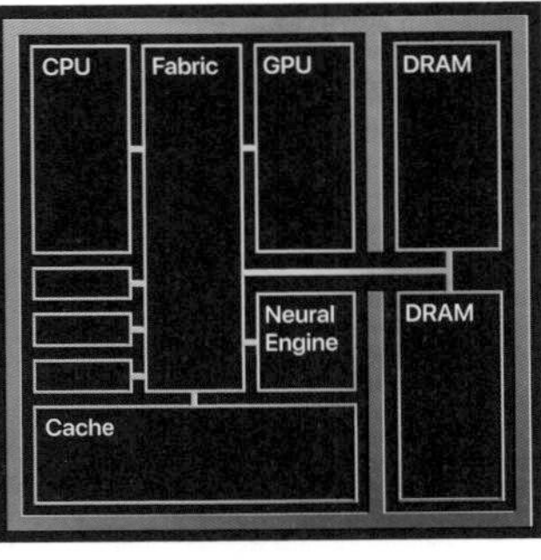

米アップルが開発したARM系CPUのAppleシリコン「M1」。Macの新機種でAppleシリコン搭載を進めていく

ワンポイント

ARM系CPUの搭載でMacだけでなくWindowsパソコンにも変化の兆し。

これもキーワード

アーキテクチャー　コンピューターの設計仕様。ハードやOSの仕様も指す

x86/x64　インテルなどのパソコン用CPUのアーキテクチャー。x86は初期仕様

ツーインワン

2in1

基本

タブレットとしても使えるノートパソコン

ノートパソコンのディスプレイ部分だけを取り外す、あるいはキーボード部分をディスプレイの背面に回して折り畳むことで、タブレットとしても使える製品。

そもそも2in1とは、2つの要素を一体化したものを指す。ノートパソコンでは、タブレットとしての使い方もできる製品であり、ディスプレイはタッチ操作に対応する。なお、2in1ノートに対して、通常のノートパソコンの形状をクラムシェルとも呼ぶ。貝殻(クラムシェル)のように開閉できるという意味だ。

2in1ノートは、さらに分離式(デタッチャブルまたはセパレート)と回転式(コンバーチブル)に分けられる。分離式は、キーボード部分を切り離し、ディスプレイ部分だけの状態でも使える。切り離すことで軽くなり、普通のタブレットと同様の使い勝手になる。一方、回転式は、キーボード部分を360度回転させ、ディスプレイの背面に折り畳むことでタブレット状にする。クラムシェルに近い剛性感がある。

2in1には分離式と回転式の2通りがある

［分離式2in1］
キーボード部分を切り離す

日本マイクロソフト
Surface
Pro 7

キーボード部分が分離し、ディスプレイ部分だけでも使える

［回転式2in1］
キーボード部分を背面に回す

日本HP
HP Spectre x360 13

キーボード部分を背面に折り畳むことで、タブレットとして使える

2in1のノートパソコンには分離式と回転式がある。ディスプレイはタッチ対応で、高精度な手書き入力が可能な機種もある

ワンポイント

分離式は軽量で携帯しやすい。回転式はクラムシェルに近い剛性感がある。

これもキーワード

クラムシェル　一般的なノートパソコン。貝殻のように開閉するという意味

クロームブック

Chromebook

低価格ノートとして教育市場への導入が進む

インターネット利用を主目的にしたノートパソコン。一般にWindows搭載のノートパソコンより安価であり、教育市場では一定のシェアがある。

Chromebookはクラウド利用に向く低価格なノートパソコン。小中学校などでは、GIGAスクール構想による1人1台の学習用端末としての導入事例が多い。

搭載するChrome OSの動作が軽いので、低いスペックのCPUや少ないメモリー容量でも快適に動く。外観はWindowsノートとほぼ同様。タッチパネル付きの画面で、キーボード部分を回転させてタブレットのように使える2in1タイプが多い。基本的にはクラウドサービスの利用を前提としているので、内蔵ストレージの容量は小さめのものが多い。アプリは米グーグルのPlayストアからインストールする。OSの種類が違うのでWindows 10用のアプリには対応しない。

タッチ操作で使える2in1タイプも

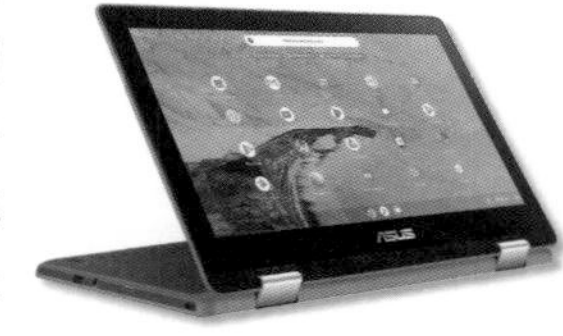

Chromebookはタッチ操作対応の回転式2in1が多い。写真はASUS JAPANの「Chromebook Flip C214MA」

クラウド利用が前提なので低スペックでも快適動作

	Chromebook	Windowsノート
OS	Chrome OS	Windows 10
CPU	ARM系、x86/64系	x86/64系
ストレージ容量	32G~64GBが主流	256G~1TBが主流
アプリ	ストア経由のみ	自由にインストール可能
価格帯	2万円台~6万円台が主流	4万円台~20万円以上

一般的なChromebookとWindowsノートを比較した。Chrome OSはWindows 10ほどの機能はないが、性能が高くないハードウエアでも軽快に動作する

ワンポイント

クラウドサービスだけで使うなら快適な低価格ノートパソコン。

これもキーワード

GIGAスクール構想　小中学校で1人1台の学習者用端末を整備する構想(→P32)

Chrome OS　グーグルのWebブラウザーChromeを中心にしたOS(→P122)

2in1　タブレットとしても使えるノートパソコン。分離式と回転式がある(→P118)

ウィンドウズテン

基本

Windows 10

パソコンにおける実質標準のマイクロソフト製OS

米マイクロソフトが開発するパソコン用OS。2015年7月の登場以降、年2回の大型アップデートで機能を強化している。個人向けや企業向けなどの種類がある。

かつてのWindowsは、大きなバージョンアップごとに新しいOSとして購入する必要があった。しかし、2015年7月に登場したWindows 10は方針を転換し、無料で提供される年2回の大型アップデートで継続的に機能を強化している。また、それとは別にセキュリティ関連のアップデートを随時行う。

Windows 10用のアプリには2つの種類がある。一つは、旧来のWindowsと同じ環境で動作するタイプで、デスクトップアプリと呼ばれる。もう一つは、ユニバーサルWindowsプラットフォーム（UWP）という、新しい動作環境を前提にしたUWPアプリだ。Microsoft Storeから導入するので、ストアアプリとも呼ばれる。

Windowsとしての資産を継承しつつ新しい環境に移行

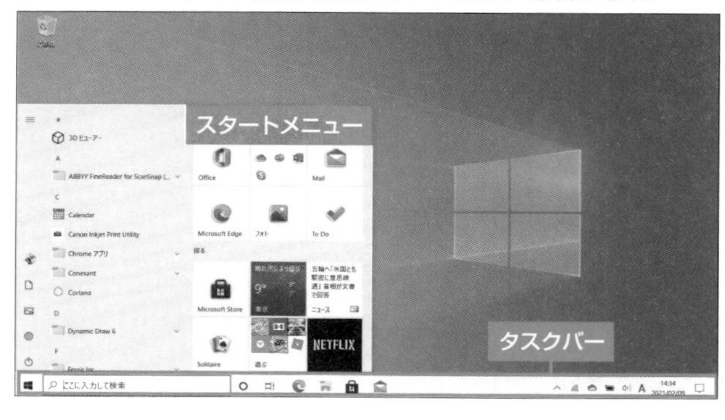

Windows 10のデスクトップ画面例。下端の「タスクバー」と、タスクバー左端のWindowsロゴボタンで開く「スタート」メニューが操作の基本になる

ワンポイント

組み込み用のWindowsもあり、多くの業務用機器が搭載している。

これもキーワード

デスクトップアプリ　旧来のWindowsと互換性のある環境で動作するアプリ
UWPアプリ　旧来のWindowsとは互換性のないWindows 10専用アプリ

マックオーエス

基本

macOS

Mac本体とともに進化するアップル製OS

米アップルが開発するMac用のOS。旧称はOS X（オーエステン）。iPhoneと連携しやすいなどの特徴がある。主要なバージョンごとに地名などの通称が付く。

Mac用OSの名称は初期モデルの「System」(日本語版は「漢字Talk」)から始まり、Mac OS、Mac OS X、OS X、macOSへと変遷した。2013年からは、OSのバージョンアップが無料になった。

Windowsは米マイクロソフトが開発し、メーカー各社がそれを搭載するパソコンを開発して販売する。一方、米アップルはmacOSとMac本体を自社で開発して販売する。そのため、一般にmacOSは最新技術への対応が早いとされる。

macOSに標準で付属するアプリには、iOSやiPadOSと共通のものが多く、連携しやすい。2020年末に発売された新CPU搭載Macでは、macOS上で一部のiOS/iPadOS用アプリも動作する。

今後はiOS/iPadOSとの連携をさらに強化

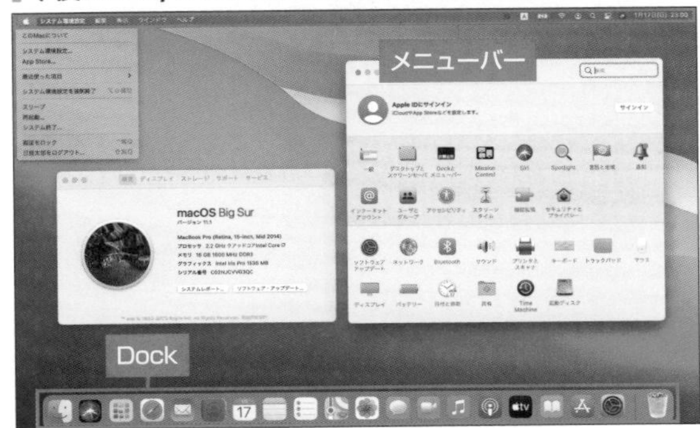

macOSのデスクトップ画面例。画面下端の「Dock」からアプリを起動する。画面上端にメニューバーがあり、操作中のアプリのメニューもここに表示する

ワンポイント

デザインを重視しており、スタイリッシュで先進的なイメージがある。

これもキーワード

iOS　iPhoneが搭載する携帯機器向けOS。macOSと密接に連携できる(→P132)

App Store　アップルのアプリ配信サービス。macOS用とiOS/iPadOS用がある

クロームオーエス

Chrome OS

Webブラウザーの機能を中心にした軽量OS

米グーグルが開発するOSの一つ。Chromebookが搭載する。Webブラウザーである Chromeの機能を利用できるほか、Android向けのアプリも動作する。

Chrome OSはクラウド連携での利用が前提で、性能の高くない本体仕様でも軽快に動作する。Chrome OS搭載のノートパソコンはChromebookと呼ばれる。

Webブラウザーである Chromeのほか、Gmail、Googleドライブ、Googleドキュメントなど、グーグルが提供する各種Webサービスの機能がChromeのアプリとして付属する。いくつかのアプリはネット接続のない状態でも利用でき、接続した時点でデータが同期される。

全てではないが、Androidアプリも利用できる。アプリ配信サービスのPlayストアから導入する。

機能は多くないが軽快、デスクトップ画面はシンプル

Chrome OSのデスクトップ画面例。下端にはWindwosのタスクバーのような機能が並ぶ。デスクトップ画面にファイルやフォルダーは置けない

ワンポイント

クラウド連携が前提。Androidアプリに対応したことで用途が拡大。

これもキーワード

Chrome　グーグルが開発するWebブラウザー。この分野で実質的な標準仕様

Chromebook　クラウド利用の低価格ノート。小中学校での導入が多い(→P119)

リナックス

Linux

無料で使えるオープンソースのパソコンOS

UNIXというインターネットで実質標準のOSと互換性のある、パソコン向け無料OS。多くのバリエーションがあり、Androidのベースにもなっている。

パソコン向けのUNIX互換OS。UNIXは研究開発者向けコンピューターのOSとして、パソコン登場以前から広く普及しており、インターネットを構成するシステムなどで多く利用されている。

Linuxは、Windowsパソコンと同じハードウエアで動作する無料版UNIX。オープンソースであり、世界中のプログラマーが開発に参加している。Linuxと関連ソフトウエアを組み合わせて独自の機能を追加したものを、ディストリビューションと呼ぶ。数多くの種類があり、有料版もある。

Ubuntuなど数多くのディストリビューションがある

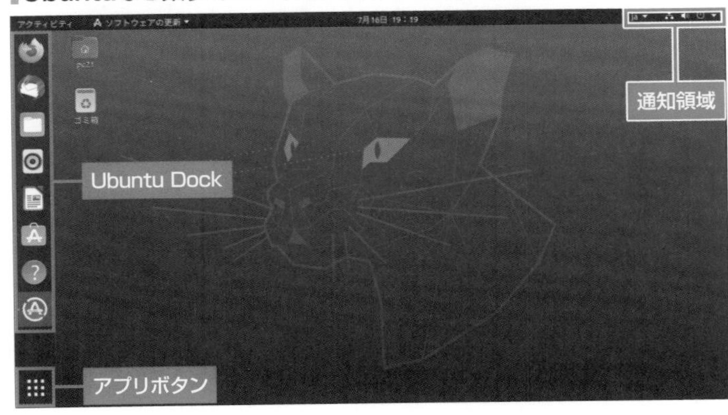

Linuxの主要なディストリビューションである、Ubuntuのデスクトップ画面例。主要なアプリはUbuntu Dockから起動する

ワンポイント

Windowsより動作が軽快。多くのプログラマーが利用している。

これもキーワード

UNIX　インターネットで実質標準のOS。主に大学や研究機関で利用される

Ubuntu　Linuxの主要なディストリビューションの一つ。初心者にも向く

オープンソース　再配布可能として公開されるプログラムのソースコード(→P167)

イーシム：Embedded Subscriber Identity Module

最新

eSIM

端末本体の機能として組み込まれたSIM

SIMカードの機能をスマートフォン本体に内蔵する仕組み。携帯電話番号などの契約者情報をネットワーク経由で書き込めるので、回線の管理が容易になる。

SIMカードは、携帯電話番号などの契約者情報が書き込まれた小型のICカード。携帯電話の初期はSDカードと同サイズだったが、現在はmicroSIMやnanoSIMという小型タイプが使われている。通信事業者が発行するSIMカードを、スマートフォンの専用スロットに挿すことで、通話やデータ通信を利用できる。

eSIMは、SIMカードの機能を機器に組み込んだもの。対応する機器と通信事業者なら、機器側の操作で、携帯電話番号などの契約者情報をネットワーク経由で書き込める。当初は、自動車や建設機械などに組み込む通信機器向けに提供されていた。製造時にeSIMを組み込んで出荷し、現地の通信事業者の情報を書き込んで利用することで、生産や管理の効率化を図れる。それが一般向けのスマートフォンにも広がった。法人が多数の端末を一括導入する場合も、eSIMなら回線の設

eSIMに契約者情報を書き込むまでの流れ

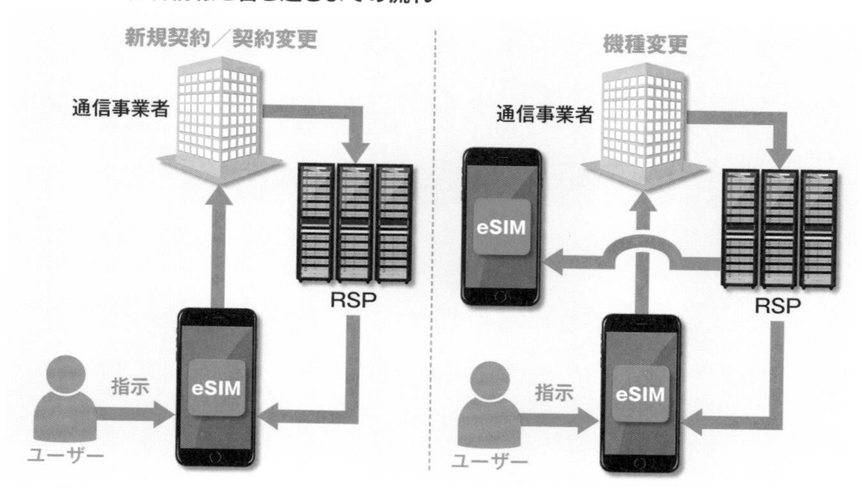

一般の利用者がeSIM内蔵スマートフォンに契約者情報を書き込むときの流れ。利用者からの指示で実行し、RSP（Remote SIM Provisioning）というSIM情報書き換え機能を利用する

定や管理が容易になる。

eSIMに対応したスマホの多くは、通常のSIMカードも使える。eSIMとSIMカードの両方を使用し、2種類の回線を使い分けることも可能だ。例えば、iPhone XSシリーズでは、eSIM契約を追加すると、2つめの回線として認識される。

そもそも、1台で2枚のSIMカードを利用できる仕組みをデュアルSIMと呼ぶ。2枚のSIMを切り替えて使うDSSS、2枚のSIMで4Gと3Gを同時に待ち受けできるDSDS、2枚のSIMのどちらも4Gで同時に待ち受けできるDSDVなどがある。DSDSとDSDVでは、一方のSIMで通話中に他方のSIMで通信できないが、一方で通話中に他方で通信もできるDSDA（デュアルSIMデュアルアクティブ）という方式の端末もある。なお、通信事業者がスマホ本体に対して、自社系以外のSIMカードで通信できないように制限する仕組みがあり、それをSIMロックと呼ぶ。

eSIMと通常SIMカードのデュアルに

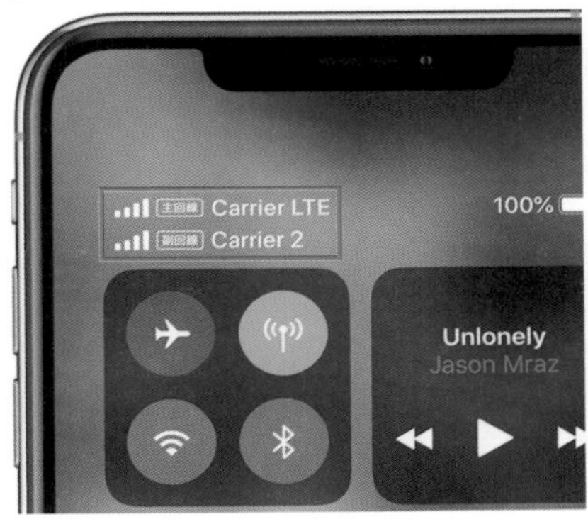

eSIMを内蔵したiPhoneの画面例。デュアルSIMならアンテナの表示が2つになる

デュアルSIMでの使い勝手は機種ごとに違う

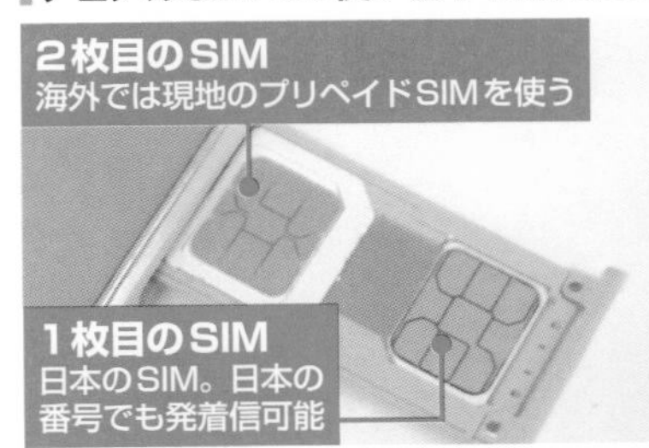

デュアルSIMシングルスタンバイ（DSSS）
SIMを2枚挿せるが、片方しか待ち受けできず、使用するSIMを手動で切り替える必要がある

デュアルSIMデュアルスタンバイ（DSDS）
2枚のSIMカードで同時に待ち受けが可能
SIM1=4G、SIM2=3G　など

デュアルSIMデュアルVoLTE（DSDV）
2枚のSIMカードで同時に4Gなどで待ち受け可能

デュアルSIMではSIMカードスロットを2つ使う。ただし、eSIM内蔵スマホならスロットは1つだけでもよい。端末の機能によって、2つの通信回線を併用するときの使い勝手には違いがある。5G対応の機種もある

ワンポイント

SIMカードの受け渡しが不要なので、オンラインでの回線契約が簡単になる。

これもキーワード

SIMカード　携帯電話番号などの契約者情報が書き込まれた小型のICカード

デュアルSIM　スマホにSIMカードを挿したまま2つの回線契約を利用できる方式

シムフリー；Subscriber Identity Module free

SIMフリー

同じスマホ本体のまま通信事業者を変更できる

端末に対して、特定の事業者以外のSIMカードを挿しても通信できないように制限する仕組みをSIMロックと呼ぶ。SIMフリーはその制限が掛かっていない状態。

通信事業者と契約したスマートフォンには、基本的にはSIMカードが入っており、そこに記録された契約者情報で通信を利用する。しかし、同じスマホ本体のままほかの通信事業者のSIMカードに変更すると、利用できない場合がある。

これは、スマホにSIMロックが掛かっているため。SIMロックを解除する、つまりSIMフリー（SIMロックフリー）にすれば、そのような不都合はない。通信事業者契約のない状態で販売されるSIMフリーのスマホ本体も数多く流通している。

なお、例えばNTTドコモの回線を借りて使う通信事業者（MVNO）のSIMカードなら、NTTドコモのSIMロックが掛かったままのスマホ本体でも利用できる。

通信事業者に縛られないSIMフリー

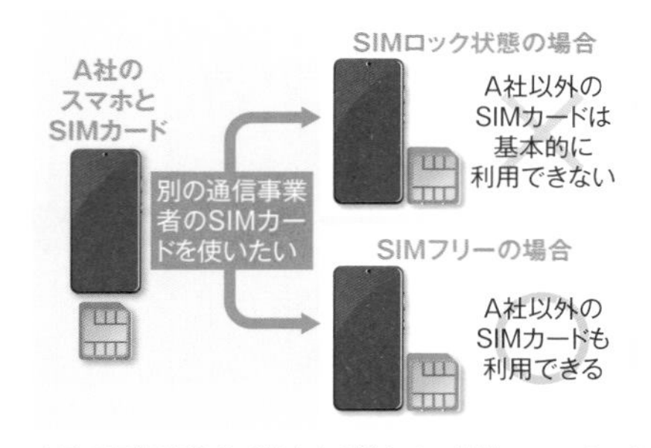

大手の通信事業者が販売する端末は、他社のSIMカードで通信できない場合がある。SIMフリーなら問題はない

一定条件でSIMロックを解除できる

NTTドコモのSIMロック解除画面。解除可能な条件を満たす端末なら、Webサイトでも手続きができる

ワンポイント

 **SIMフリーなら、スマホ本体と通信契約を切り離して自由に変更できる。**

これもキーワード

SIMロック　通信事業者が自社販売のスマホを自社のSIMカード専用にする制限

MVNO　大手通信事業者から回線設備を借りて通信サービスを提供する事業者

foldable smartphone

最新

フォルダブルスマホ

2つ折りにできる新発想のスマートフォン

有機ELによる折り曲げ可能なディスプレイを採用するなどで、2つに折り畳めるようにしたスマートフォン。広げてタブレットサイズになる製品もある。

本を閉じるように折り畳めるフォルダブルスマートフォンが、2020年以降、続々と登場した。特にディスプレイを折り曲げられるタイプは高価だが注目度は高い。中国ファーウェイが発表した「Mate Xs」は、折り畳んだ状態で前面が6.6型ディスプレイのスマホ、広げると8型のタブレットになる。韓国サムスン電子の「Galaxy Z Flip」は、6.7型で縦横比が22：9と縦長のボディーを折り畳む構造。胸ポケットなどに入れても邪魔にならないという携帯性を強調する。韓国LGエレクトロニクスの「LG G8X ThinQ」は、ディスプレイ内蔵ケースと合体して2画面構成となる。2つの画面を必要としない場合は、切り離して普通のスマホとして使える。

2つ折りによる便利さや使い勝手を各社が工夫

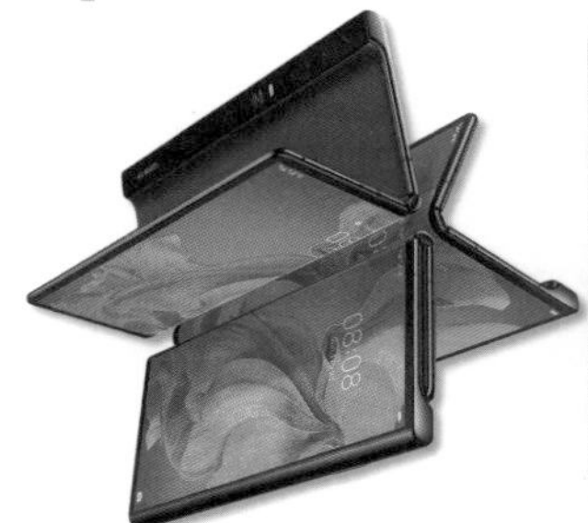

Mate Xs
（ファーウェイ）

LG G8X ThinQ
（LGエレクトロニクス）

Galaxy Z Flip
（サムスン電子）

フォルダブルスマホの例。折り畳んだ状態でも使えて、広げると大画面になるタイプと、折り畳むことで携帯しやすくするタイプがある

ワンポイント

新しい使い方に期待。ただし、特に画面を折り曲げるタイプは高額になる。

これもキーワード

有機EL　高画質のディスプレイ技術。薄型化が容易で折り曲げも実現可能（→P134）

フレキシブルディスプレイ　折り曲げ可能なディスプレイ。特殊なフィルム基板を使う

ワイヤレスきゅうでん；wireless power transfer；WPT

注目

ワイヤレス給電

電源ケーブルなしで機器に給電する仕組み

給電側と受電側の間の電源ケーブルが不要。スマホ向けではQi規格があり、一部のAndroidスマホとiPhoneが対応する。専用の給電台に置くだけで充電できる。

ワイヤレス給電（WPT）規格の代表格はQi（チー）。2011年ごろから一部のAndroidスマホで使われ始め、2017年に米アップルがiPhoneに採用したことで再注目された。現在のiPhoneは、Qiによる充電時に、本体背面と給電器を磁石で固定するMagSafeという仕様だ。

2015年に登場したQi 1.2は、供給電力を当初の5Wから15Wに引き上げた。電力仕様はプロファイルとしてまとめられ、5W給電と15W給電は別のプロファイルになる。15W給電を利用するには、給電側と受電側がそれぞれ15Wに対応する必要がある。

ほかに、製造元が供給電力を独自に設定できる拡張プロファイル（PPDE）があり、これがQiの仕様を複雑にしている。例えば、アップルは7.5W、韓国サムスン電子は10Wの給電器を販売。スイスのSTマイクロエレクトロニクスは50Wの給電に対応するICチップを発表した。

Qi規格を策定する業界団体のWPCは、消費電力が大きいキッチン家電向けのKi（キー）コードレスキッチンという規格も発表した。実用化はまだ先だが、最大供給電力は2200Wで、Qiよりも格段に大きい。紹介映像によれば、IHクッキングヒーターの代わりにKiの給電器を組み込み、調理器具やスマートフォンなどに給電できるという。供給電力を上げるために、かな

スマホの充電用として普及するQi

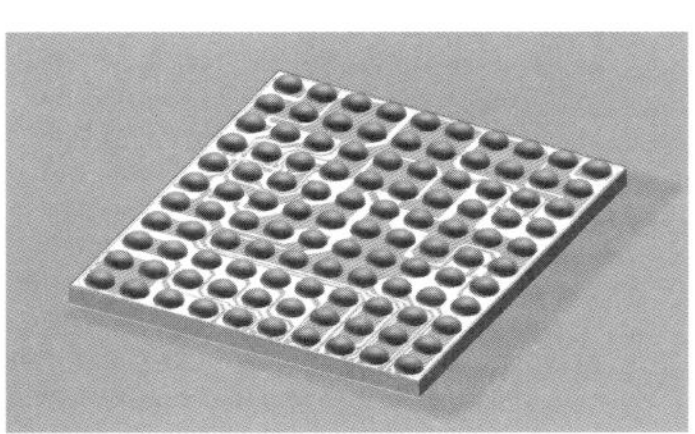

左は、Qiのロゴと使用イメージ。専用パッドに対応機器を接触させて給電する。上は、STマイクロエレクトロニクスが発表したQi準拠のワイヤレス給電ICチップ

り大きなコイルを採用している。

Qiは近接結合型WPTという方式で、電力伝送距離が最大でも10cm前後だ。一方、マイクロ波を使った空間伝送型WPTの開発も進んでいる。920MHz、2.4GHz、5.7GHz帯の電波に電力を乗せて、10m前後の距離にある機器に遠隔給電する。京都大学は電動自転車を使ったワイヤレス給電など、実用化に向けた実証試験を実施。実用化は近いもようだ。

コイルからの磁力を端末内で電力に変換する

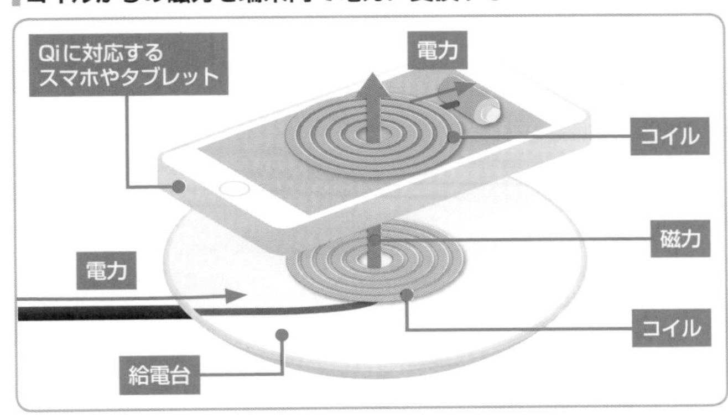

Qiは、無線で電力を伝送する規格。給電台のコイルによって電力から変換した磁力を、端末内のコイルが電力に再変換する

離れていても給電できる空間伝送型WPT

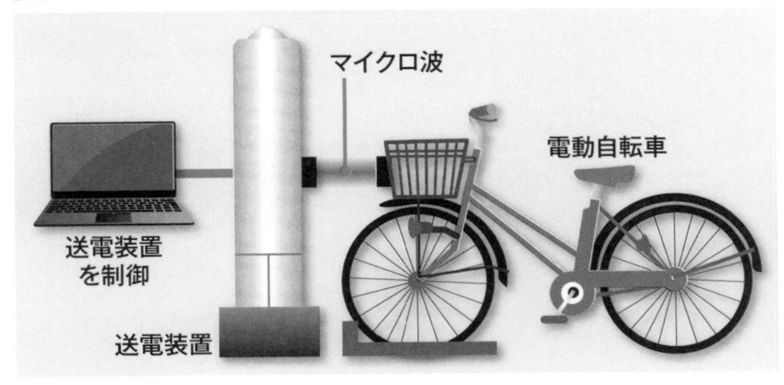

京都大学と三菱重工業が共同で実施した空間伝送型WPTの実証試験の概要(京都大学の資料を基に作成)。特定のマイクロ波を使い100Wの空中線電力で電動自転車を充電した

ワンポイント

スマホで徐々に普及。離れた距離で使えるワイヤレス給電も実用化が近い。

これもキーワード

Qi　スマホなどで普及しているワイヤレス給電規格。最大15Wまで給電可能

空間伝送型WPT　マイクロ波を利用するワイヤレス給電。離れていても給電できる

ブルートゥースごてんに

最新

Bluetooth 5.2

近距離の無線通信規格が音響用の仕様を強化

Bluetoothは、パソコンやスマートフォンで普及しており、消費電力が低いのが特徴。バージョン5.2で、音響機器向けの仕様を大きく改善した。

Bluetooth規格には、当初からのもの（BR/EDR）と、バージョン4で追加されたLE（Low Energy）が併存する。LEは低消費電力仕様であり、順次機能が強化されている。パソコンやスマートフォンなどの親機側は、たいていが両方に対応する。

親機と子機を最初に接続するときは、ペアリングという操作を行う。機器のジャンルごとに通信手順を定めたプロファイルというデータを利用しており、親機と子機の両方で同じプロファイルが必要になる。

2020年1月策定のバージョン5.2では、LE Audioと呼ぶ新仕様を追加し、音響機器の使い勝手を改善できるようにした。例えば、左右分離型のワイヤレスイヤホンは、それぞれが直接親機と接続すマルチストリームによって、音切れや遅延が生じにくくなる。

Bluetoothは少量データに向く

Bluetoothは通信速度が低いので、ストレージ機器などの接続には利用されない

5.2は音響機器向けの新仕様を追加

従来仕様の新名称

Classic Audio

- 標準の音声コーデックは「SBC」
- シングルストリーム
- 同時に再生できるのは1台の機器のみ

Bluetooth 5.2の新仕様

LE Audio

- 音声コーデック「LC3」を追加
- マルチストリームに対応
- 複数の機器で同時再生できる

Bluetooth 5.2は、音響機器向けに高音質コーデックなどの新仕様を追加した

ワンポイント

新仕様の左右分離型ワイヤレスイヤホンは、より使いやすく高音質になる。

これもキーワード

- ペアリング　Bluetooth対応の親機と子機を接続する操作。最初の接続時に行う
- LE Audio　Bluetooth 5.2で追加された音響関連の新仕様。音質も向上する

エヌエフシー：Near Field Communication

NFC

数cm程度の距離で使うICカードの無線通信

触れる程度の至近距離で小さなデータをやり取りする無線通信規格。交通系や電子マネーのICカードで利用するほか、スマートフォンにも対応機種が多い。

NFCは、数cm程度の至近距離に近づけたときだけ、小さなデータをやり取りするのが特徴。社員証を兼ねた入退室カードや電子マネーカードなどに専用のICチップを組み込み、専用のリーダー／ライターにかざすだけで通信する。スマートフォンでも電子マネーの機能で使うほか、機器の接続設定に使える場合もある。NFCタグという安価な製品を用意すれば、そこに書き込んだ設定情報を瞬時に読み取って切り替えるという使い方もできる。

NFCは複数の規格を統合したものであり、海外で普及しているType-A、FeliCa仕様のType-F、マイナンバーカードが採用するType-Bなどの種類がある。多くのリーダー／ライターは全てに対応する。

NFCはほかの動作のトリガーにも使われる

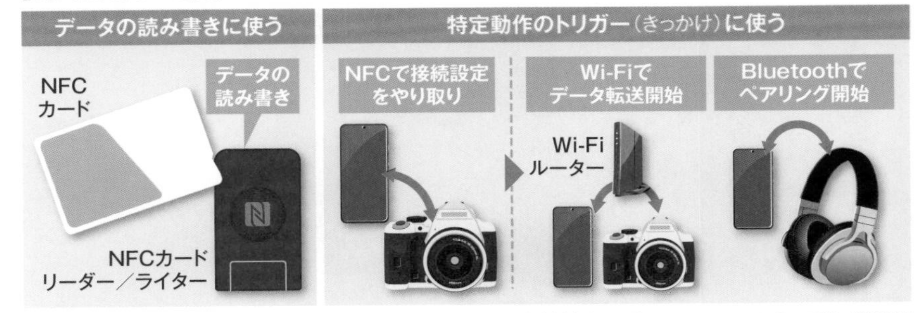

NFCの主な用途。カード内のICチップのデータを読み書きしたり、設定情報をやり取りしてBluetoothのペアリングを瞬時に実行するなどの使い方がある

ワンポイント

かざすだけで接続設定を完了するなど、いろいろな使い方ができる。

これもキーワード

NFCタグ　NFC対応のタグ。ICチップに書き込んだ情報をスマホなどで読み取る

FeliCa　国内で広く普及する非接触ICチップの技術。電子マネーなどで利用する

アイオーエス

iOS

基本

iPhoneが搭載する携帯機器向けOS

米アップルが開発し、iPhoneなどの同社製品が搭載する。iPhoneの進化とともに機能が順次強化されてきた。同じApple IDで同社製品と密接に連携できる。

iPhoneなどの米アップル製品は、ハードウエアとソフトウエアが一体になって開発されるのが特徴。iPhoneで中核となるソフトウエアがiOSだ。2007年の初代iPhoneで登場。当時はiPhone OSという名称だった。2013年のiOS 7で現在のようなフラットなデザインに一新した。

無線でファイルを共有するAirDropやビデオ通話のFaceTimeなど、iOSが搭載する機能のいくつかはMac（macOS）と共通。同じユーザーアカウント（Apple ID）を設定しておけば、iPhone、iPad、Macの間で、一方での作業を他方に引き継ぐシームレスな使い方ができる。なお、iPadもiOSを搭載していたが、2019年にiPadOSとして分化した。

iPhone本体の機能と一緒に進化するiOS

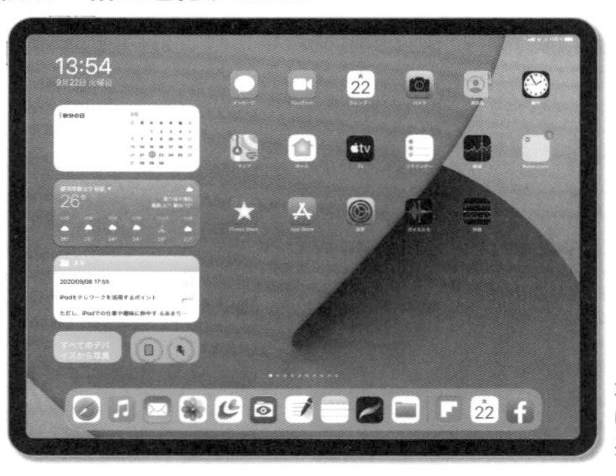

左はiOS搭載のiPhone、右はiPadOS搭載のiPad。従来はiPadもiOS搭載だった

ワンポイント

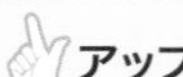

アップルの独自OSとして管理されているので、セキュリティ面は強い。

これもキーワード

iPhone　アップルが開発するスマートフォン。国内シェアは海外より圧倒的に高い

iPadOS　iPadタブレットのOS。iOSから分化し、大画面での操作性を強化した

アンドロイド

基本

Android

グーグルが開発して各社が搭載する携帯機器向けOS

各社のスマートフォンが搭載する標準的なOS。米グーグルが開発する携帯機器向けOSであり、タブレットにも搭載されている。車載端末用などの派生OSもある。

米アップルを除くほとんどのメーカーが、自社のスマートフォンに搭載する米グーグル製OS。オープンソースのLinuxがベースになっており、Androidもオープンソースとして公開されている。

メーカーが独自の仕様を盛り込むことが可能なので、画面のデザインや搭載アプリなどは、メーカーや機種によって異なる部分が多い。Android用アプリは、グーグルが運営する配布ストアから入手する。このストア以外からの入手も可能だが、悪質なアプリが紛れ込む可能性が高くなる。

Androidの派生OSとして、テレビ用のAndroid TV、車載端末用のAndroid Automotive OS、スマートウオッチ用のWear OS by Googleなどがある。

Android搭載スマホはメーカーごとに異なる

Androidの基本的なホーム画面（左）と、各社のスマホのロック画面（上）。同じOSだが、デザインや操作性はメーカーごとに異なる部分がある

ワンポイント

OSとしての自由度は高いが、メーカーごとにいろいろな違いがある。

これもキーワード

Linux　UNIX互換のパソコン向けOS。多くの派生OSがある（→P123）

オープンソース　再配布可能として公開されるプログラムのソースコード（→P167）

ゆうきイーエル；organic electro luminescence

注目

有機EL

発光することで色鮮やかな薄型ディスプレイを実現

電気を通すと発光する有機化合物を電極の間に挟んだLED。液晶と異なり自ら発光するので、バックライトを必要としない。折り曲げも実現可能。

ELは、電気的エネルギーを与えることで発光する物理現象のこと。有機ELは発光層に有機化合物を用いており、有機発光ダイオード（OLED）とも呼ぶ。

一般的な液晶ディスプレイは、白色LEDによるバックライトの光をカラーフィルターに当てて色を生み出す仕組みで、その光を調節する役割を液晶が担う。黒を表現する際は、液晶がバックライトの光を遮るが、かすかな光の漏れが生じるので、完全な黒を再現するのは難しい。

一方、有機ELディスプレイは、発光を

光の漏れがないので液晶より黒が引き締まる

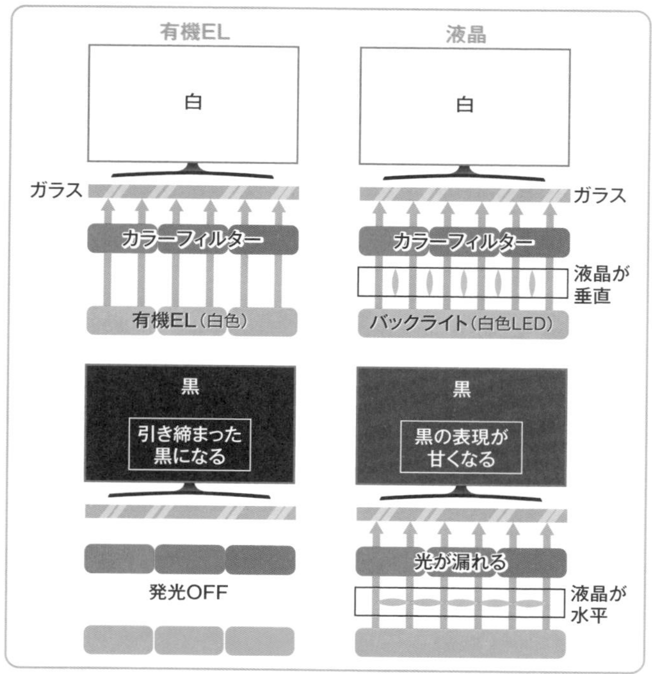

液晶ディスプレイはバックライトの光を液晶が遮ることで、色や明るさを調節する。白色の有機EL素子を使うディスプレイは、素子ごとに発光をオン／オフするので光の漏れがなく、液晶より色の再現性が高い。三原色の有機EL素子を使う方式もある

止めることで黒を表現するため、光のない引き締まった黒にできる。なお、有機ELディスプレイには、白色の有機EL素子とカラーフィルターを組み合わせる方式と、三原色の有機EL素子を並べて使う方式がある。ほとんどの製品は前者のタイプだ。応答速度の高さ、視野角の広さなども有機ELの特徴。薄型化が容易であり、特殊なフィルム素材の基板を使うことで折り曲げを可能にしたフレキシブルディスプレイも登場している。

液晶から有機ELへと進み、さらに次世代のディスプレイ技術としてマイクロLEDが注目されている。名前の通り、大きさが0.1mm 以下の微細な三原色のLED を制御基板上に並べ、それぞれを画素として発光させることで映像を表示する。原理的には、有機ELよりもコントラスト比が高くて長寿命、消費電力も低い。製造コストの面で課題はあるが、スマートウオッチなど画素数の少ない小型ディスプレイから使われ始めるだろう。

有機ELなら折り曲げも可能に

韓国サムスン電子が2016年に公開したロール式ディスプレイのデモ映像。柔軟性がある有機ELディスプレイを巻き込んだり排出したりする

有機ELより高画質なマイクロLEDが登場間近

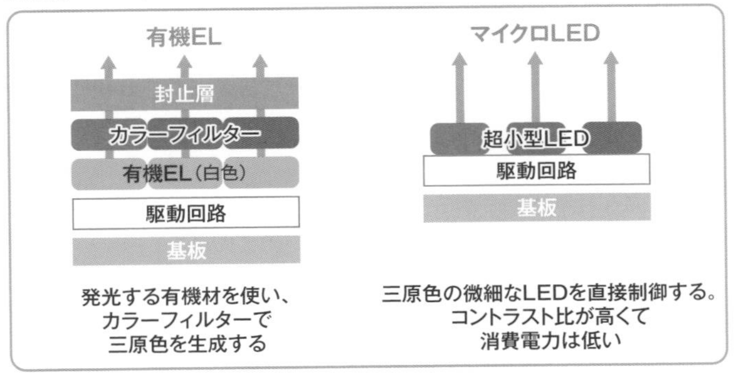

マイクロLEDはカラーフィルターが不要で、有機ELよりも構造がシンプルになる

ワンポイント

有機ELは色の再現性が高く、フレキシブルディスプレイも実現できる。

これもキーワード

フレキシブルディスプレイ　折り曲げ可能なディスプレイ。特殊なフィルム基板を使う

マイクロLED　微細な三原色のLEDを敷き詰める次世代のディスプレイ技術

第4章

スリーディープリンター；three-dimensional printer

注目

3Dプリンター

樹脂などを積み重ねて立体物を造形するプリンター

3Dデータに基づいて立体物を造形する機器。部品の試作などのほか、多品種少量生産にも利用できる。個人で購入できる価格帯の製品もある。

3Dプリンターは、立体物のデザインや設計・製造などで欠かせない存在だ。業務用の3Dプリンターは、設計途中の試作品に限らず、実際の部品や製品にも使える品質にまでに進化した。高品質な部品を量産できる金属3Dプリンターも登場。市場は拡大傾向にある。

個人が買える価格帯の3Dプリンターもある。ただし、紙に印刷するプリンタ—ほど手軽な使い方ではない。3次元の造形を制御するメカニズムは複雑で、素材となる樹脂などの扱いにも手間が掛かる。

個人用の3Dプリンターの仕組みは、熱溶解積層方式（FDM方式）と光造形方式が一般的。FDM方式は、熱で溶かした樹脂を少しずつ積み重ねて形を作る。電熱線で溶かした樹脂を押し出すヒートヘッドを、ヒートテーブルの上面で筆のように前後左右に動かして一層分ずつ描く。樹脂が出てくるノズルの穴径は0.4mm程度だ。1層分を描き終わったら、ヒートヘッドを上に少し持ち上げて次の層を描くとい

3軸方向の動きを制御しながら樹脂で造形する

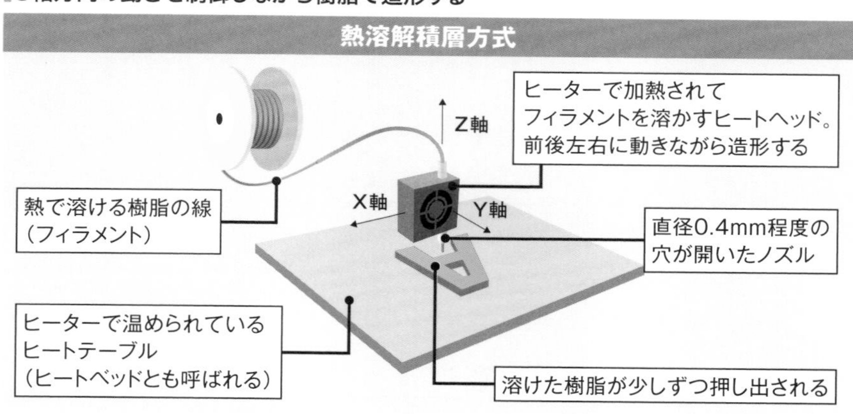

3Dプリンターの動作原理。ほかに、紫外線硬化樹脂の液槽に紫外線レーザーを照射する光造形方式などもある

う手順を繰り返す。使う素材は線状に引き伸ばした細い樹脂で、フィラメントと呼ばれている。

光造形方式も、層ごとに形を作って重ねる点は同じだ。線状の樹脂ではなく、液状の樹脂を紫外線で固めて造形する点が異なる。樹脂の液槽にテーブルを浸し、下面に紫外線レーザーを照射しながら引き上げていく。表面がきれいに仕上がるので、微細な構造に向く。ただし、液状の樹脂は、フィラメントよりも管理や後処理などが煩雑になる。

実際のプリント作業では、最初に3D CADソフトなどを使って立体物を設計する。そのデータを専用の形式に変換し、3Dプリンターにセットしてプリントを実行する。データ変換の処理をスライスと呼ぶ。文字通り立体モデルを0.2mm程度に薄く切るイメージであり、ノズルの移動速度や樹脂を押し出す量などをきめ細かく調整できる。設計した立体物のデータを公開しているWebサイトもある。

立体物を造形する3Dプリンターのメカニズム

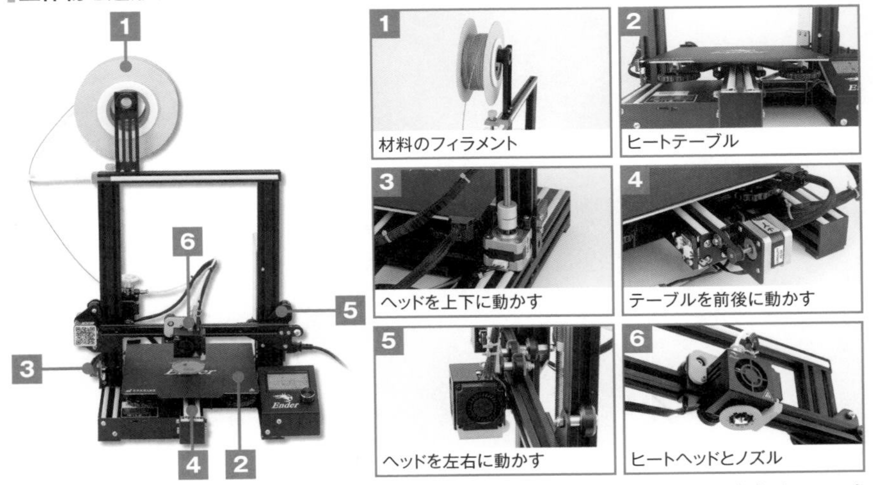

3万円台で購入できる安価な3Dプリンターの例（Ender-3 Pro、メーカーは中国Creality 3D）。FDM方式であり、アルミ合金製のレールの上をヒートヘッドが左右と上下にスライドする。ヒートテーブルは前後に動く

ワンポイント

製造業で急速に普及。個人向けの製品もあるが、難易度はやや高い。

これもキーワード

3D CAD　立体物の設計や製図を行う。機械や建築など分野ごとのシステムがある

3Dスキャナー　立体物を全方向から撮影することで3Dデータを生成する装置

でんしペーパー；electronic paper

電子ペーパー

電子書籍に向く超低消費電力の薄型ディスプレイ

紙のような視認性と携帯性が特徴の薄型ディスプレイ。電力をほとんど消費せずに表示を維持できる。米イーインク（E Ink）製品が普及しており、E Inkとも呼ぶ。

電子ペーパーで主流のE Inkは、白色と黒色の顔料粒子を閉じ込めた透明なマイクロカプセルを表示面に並べてある。電圧によってマイクロカプセル内の顔料粒子を移動させて画面を表示する。電圧がなくなっても粒子はあまり移動しないので、表示を維持できる。

バックライトを使わず、紙のような質感を持つことから、米アマゾン・ドット・コムのKindle（キンドル）など電子書籍リーダーやデジタルノートに採用されている。太陽光の下でも見やすく、視野角も広い。半面、暗いところでは読めないため、フロントライトを搭載する製品もある。応答速度は液晶ディスプレイより低く、動画の再生には向かない。なお、色付きの顔料粒子またはカラーフィルターを使うカラー表示対応の電子ペーパーもある。

紙に近い感覚で文字を読める

電子ペーパーは日光が反射しづらく、バックライトを使わないので、表示される文字が読みやすい。写真はデジタルノートの「フリーノ FRN10」（キングジム）

マイクロカプセルで白黒を表示

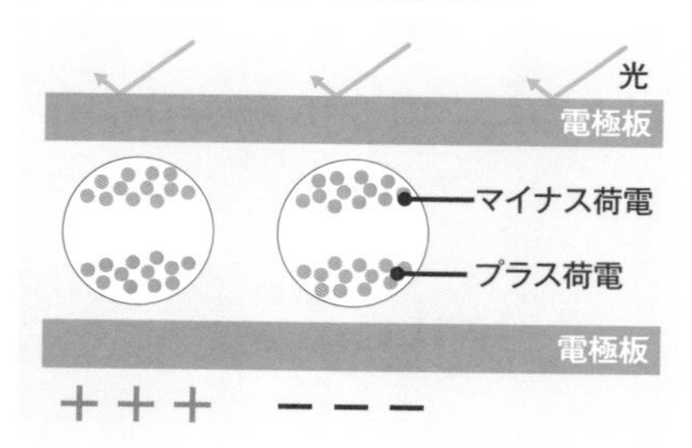

代表的な電子ペーパーであるE Inkの仕組み。マイクロカプセルの中に帯電させた白と黒の顔料粒子を入れ、電気泳動により画面を表示させる

ワンポイント

低消費電力なので数日間は充電不要。文庫本のように手軽に持ち歩ける。

これもキーワード

Kindle　アマゾンの電子書籍リーダー。同社が販売する電子書籍が対象

stylus pen

基本

スタイラスペン

ディスプレイ面に手書きできるペン型の入力機器

ペン型の入力機器。ディスプレイ側がペンの方式に対応する必要がある。通常のスマートフォンやタブレットで使える製品もあるが、その場合の精度はやや低い。

スマートフォンやタッチ対応のパソコンの画面は、静電容量タッチパネルと呼ばれる。電気を通す物体を近づけるとその付近に微量の電気が集まり、その量（静電容量）や面積の変化でタッチの有無を判定する仕組みであり、精度はやや低い。

一方、高精度なスタイラスペンは、画面から微妙に浮いた状態や筆圧、ペンのボタンの押下などの情報にも対応する。ディスプレイ側がペンを検知する仕組みには、電磁誘導方式とアクティブ静電結合方式がある。電磁誘導方式は、ペンの発する磁界を専用のセンサーでキャッチする。アクティブ静電結合方式は、静電容量タッチパネルのセンサーと制御ICを改良し、専用ペンの検知を可能にしている。

スタイラスペンには主に2通りの方式がある

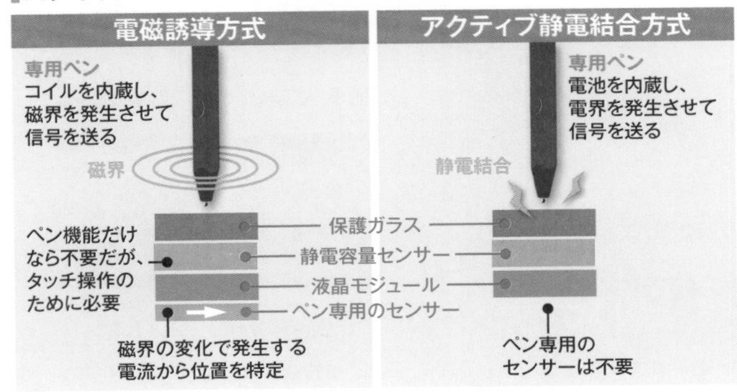

スタイラスペンの主要な方式。電磁誘導方式はペンの電池が不要。アクティブ静電結合方式は、通常のタッチパネルと一体化しやすい

ワンポイント

精度の高いペン入力なら、タッチパネルを紙のノートのように使いこなせる。

これもキーワード

タッチパネル　指先などで触れた箇所の位置情報を検出できるパネル

デジタルノート　スタイラスペンで手書き入力できるタブレットなどの機器

アイビーコード：International Protection code

IPコード

機器の防じん性能と防滴性能を表す指標

機器の内部に異物が侵入することを防ぐ保護等級。「IP」に続く2桁の数字で表され、1桁目が防じん性、2桁目が防滴性を示す。一方を省いて「X」とする場合もある。

IPコードは、JIS（日本産業規格）などで規格化されている防じん・防滴性能の指標。正式には「IP保護等級」と呼ぶ。IPの文字に続く2桁の数字のうち、防じん性は10の位で0～6の7段階、防滴性は1の位で0～8の9段階がある。防じん性または防滴性の一方だけを評価して示すことも可能で、その場合は他方の数字部に「X」を表記する。また、2桁の数字の後ろに保護対象（指、針金など）を示す記号を付け加えることがある。

生活防水機能を備えたスマートフォンやデジタルカメラなどは、実機によるテストを経てカタログなどにIPコードを記載する。

10の位が防じん、1の位が防滴

IPに続く数字の意味。一方を省く場合は「X」と表記する

2つの数字が性能の各段階を示す

10の位（防じん性能）	
1	直径50mm以上は侵入しない
2	直径12.5mm以上は侵入しない
3	直径2.5mm以上は侵入しない
4	直径1mm以上は侵入しない
5	粉じんの侵入は防げないが影響しない
6	粉じんが侵入しない

1の位（防滴性能）	
1	鉛直落下の水滴で影響がない
2	鉛直～15度の水滴で影響がない
3	鉛直～60度の噴霧水で影響がない
4	全方向の飛沫で影響がない
5	全方向の噴流水で影響がない
6	全方向の強い噴流水で影響がない
7	一定条件の水没で浸水しない
8	継続的な水没で浸水しない

各数字の内容。そのほか、「0」の場合は保護されていない

ワンポイント

目安を示す指標であり、突発不良や劣化などによる異物の侵入は起こり得る。

これもキーワード

JIS（ジス）　産業標準化法に基づいた国内規格。国際規格のISOやIECに準ずる

第5章

今さら聞けない基本のキーワード

ピーシー；personal computer ／マック；Macintosh

基本

PC／Mac

個人向けのコンピューターが2通りに進化

PCは各社が販売するWindowsパソコンを指す場合が多く、基本的にはパソコンと同じ意味。Macは米アップルが販売する同社独自のコンピューター。

PCは個人向けコンピューターという意味であり、日本でのパソコンと同じ。米IBMが1981年に発売したIBM PCなどによってこの呼び方が定着した。本来は機種を限定しない言い方だが、IBM PC ATとその互換機を継承した、x86/x64系CPU搭載のWindowsパソコン（初期はMS-DOSパソコン）を指す場合が多い。なお、国内では1990年代半ばまで、同じx86系ながら仕様の異なるNECのPC-9800シリーズが普及していた。

一方、Macは米アップルが販売する独自仕様の個人向けコンピューター。正式名称はMacintosh（マッキントッシュ）でMacはその略称。現在はアップル自身が略称を多用している。初代モデルは1984年発売。当時はウインドウ表示とマウス操作の先駆けとして大いに注目された。OSとハードウエアの両方の開発を1社で手掛けているのも特徴。

よく似た操作画面だが細部のノウハウに違いがある

Windows PC

OS開発　米マイクロソフト
本体開発　PCメーカー各社

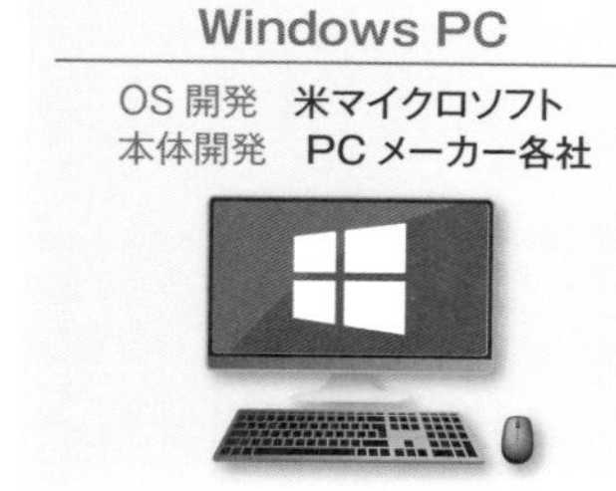

Mac

OS開発
本体開発　米アップル

Windows PCとMacは似たような操作画面だが、搭載するOSが異なるため、細部の使い勝手やアプリなどに違いがある。Macは1社がOSと本体の両方を手掛けることで、一般に新技術への対応が素早い

ワンポイント

最近までのMacはWindows PCと同じ構成だったが、独自路線に移行。

これもキーワード

MS-DOS　初期のPCが搭載したマイクロソフト製OS。文字入力での操作が基本

互換機　同じOSやアプリを使える機器。PCでは、IBM PC AT互換機が普及した

アイティー；information technology ／アイシーティー；information and communication technology

IT／ICT

情報技術と情報通信技術で意味はほぼ同じ

ITは情報技術のこと。ICTはそれに通信を加えた呼び方で情報通信技術のこと。実際の意味はあまり変わらない。海外ではITよりICTが一般的とされる。

コンピューターは、あらゆる情報を処理できるという理論が根底にある。コンピューターの技術は、情報を処理する技術なのでIT（情報技術）と呼ばれる。一方、情報は伝達（通信）と不可分なのでICT（情報通信技術）とも呼ばれ、その場合は情報活用を強調する意味合いがある。官公庁では特にこの呼び方が多い。例えば、総務省は2004年に、それまでの「IT政策大綱」を「ICT政策大綱」に変更した。

これもキーワード

情報理論　情報と通信の本質を数学的に扱う学問

interface

インタフェース

人と機器、あるいは機器同士をつなぐ手順や仕組み

異なる2つの要素をつなぐための手順や装置、規格などを指す。人間が機器を操作するための画面などをユーザーインタフェースと呼ぶ。

パソコンと周辺機器との接続ではUSBが汎用的なインタフェースであり、OSとアプリはAPI（アプリケーション・プログラミング・インタフェース）で連携する。

機器の操作画面などはユーザーインタフェース（UI）であり、UIを通じて得られる利便性などをユーザーエクスペリエンス（UX、ユーザー体験）と呼ぶ。

これもキーワード

API　自身の機能をほかから利用できるようにする手続きの集まり（→P168）

UI/UX　ユーザーインタフェースとユーザー体験を組み合わせた言い方

シーピーユー；central processing unit

基本

CPU

コンピューターの頭脳に相当する中枢機能

入出力を制御してデータを受け取り、演算処理を実行して結果を出力するなどの機能を担う。一般にはCPUの機能をまとめた半導体チップを指す。

CPUは、内部でのデータ処理の単位となるビット数に応じて、32ビットCPUや64ビットCPUなどの区別がある。基本的にはビット数が大きいほど性能が高い。データを受け取るバスの幅や動作周波数も性能に影響する。近年は、1つのCPUに複数のコア（演算回路の総称）を搭載するマルチコアが主流になっている。

これもキーワード

x86/x64　インテルなどのパソコン用CPUのアーキテクチャー。x86は初期仕様

ARM　スマホで一般的な低消費電力CPU。SoCタイプが多い（→P117）

今さら聞けない基本のキーワード▶コンピューター全般

memory

基本

メモリー

プログラムやデータを格納して使うための部品

記憶という意味であり、コンピューターでは情報を保存または展開するため部品を指す。記憶領域には区画ごとにアドレスとして数字を割り当てる。

コンピューターの内部で、CPUが直接読み書きするメモリーをメインメモリーとも呼ぶ。現在は小さな半導体チップであり、パソコンではDIMM（ディム）という小型基板を単位にして増設する。

USBメモリーやSDメモリーカード、SSDなどは、フラッシュメモリーという種類の半導体メモリーを内蔵する。メインメモリー用よりは低速だが、電力の供給を断っても記憶内容を保持できる。

これもキーワード

DIMM　パソコンのメインメモリーを増設するための小型基板

ラム：random access memory ／ロム：read only memory

RAM／ROM

読み書きに使うメモリーと読み出し専用のメモリー

RAMは、データの書き込みと読み出しが随時可能なメモリーで、パソコンのメインメモリーなどを指す。ROMは、基本的には読み出し専用のメモリーを指す。

パソコンのメインメモリーなどに使われるRAMは、ダイナミックRAM（DRAM）と呼ばれるタイプ。構造がシンプルで量産しやい。ROMは読み出し専用だが、実際には書き換え可能なフラッシュメモリーの場合が多い。CD-ROMやDVD-ROMなどの光ディスクを指す場合もある。

なお、ネット関連の俗語で、掲示板などで意見を書き込まずに「読むだけ」の利用者をROMと呼ぶ。

これもキーワード

光ディスク　CDやDVD、ブルーレイディスクの総称。レーザー光で読み書きする

storage

基本

ストレージ

プログラムやデータを保存するための機器

ハードディスクやSSD、USBメモリー、SDメモリーカードなどを指す。ストレージのデータは、メインメモリーに読み込まれてから処理される。

保管庫などの意味であり、コンピューターでは、ハードディスクやSSDなどに対する、機能に着目した呼び方である。記憶装置とも呼ぶ。なお、メインメモリーを内部記憶装置、ストレージを外部記憶装置と呼ぶ場合もある。インターネット経由で利用するストレージ用のサーバーをクラウドストレージと呼ぶ。

これもキーワード

ハードディスク　大容量かつ低コストのストレージ機器。振動や衝撃に弱い（→P146）

SSD　半導体メモリーの大容量ストレージ。高速で振動や衝撃にも強い（→P146）

hard disk : HD : HDD

ハードディスク

大容量かつ比較的に安価な据え置き用のストレージ

磁性体を塗布した円盤（ディスク）にデータを記録するストレージ。ディスクを高速回転させ、磁気ヘッドを動かしてディスク面のデータを読み書きする。

現在のハードディスクは3.5インチ型と2.5インチ型が一般的。数字はディスクの直径を意味する。特に3.5インチ型は大容量であり、いずれも容量換算でほかのストレージ機器より安価になる。内部では、モーターでディスクを高速回転させ、磁気ヘッドの動きを制御することで、ディスク表面の磁性体膜を読み書きする。駆動部品を使う精密機器なので、振動や衝撃に弱い。HDまたはHDDとも呼ぶ。

これもキーワード

ベアドライブ　内蔵用として販売される、外装のない状態のハードディスクなど

今さら聞けない基本のキーワード▶コンピューター全般

エスエスディー : solid state drive

人気

SSD

衝撃に強い高速な半導体ストレージ

フラッシュメモリーで構成されたストレージ。ハードディスクより割高だが、消費電力が低くて衝撃に強く、読み書きが速いなどの利点がある。

ハードディスク（HDD）が円盤に磁気で記録するのに対し、SSD はNANDフラッシュメモリーと呼ぶ半導体にデータを記録する。登場直後は2.5インチHDDと交換可能なタイプのSSDが一般的だったが、最近のノートパソコンでは、薄くて小さい基板タイプのM.2 SSDを採用する例が多い。M.2 SSDには、シリアルATA接続とPCI Express接続があり、後者の方がより高速にデータを転送できる。

これもキーワード

フラッシュメモリー　電力の供給を断っても内容を保存するタイプの半導体メモリー

file system

ファイルシステム

OSがストレージを管理するための仕組み

ファイルを保存して読み書きできるように、ストレージ内の領域に区画を設定して管理する。OSごとに種類があり、メモリーカードではexFATなどを使う。

ハードディスクやSSD、USBメモリー、SDメモリーカードなどを使うには、ファイルシステムに応じた、フォーマットと呼ぶ初期化の作業が必要になる。たいていの製品は最初からフォーマット済みだ。

Windowsは「NTFS」、macOSは「APFS」というファイルシステムが標準だが、ほかのファイルシステムにも対応可能。USBメモリーやSDメモリーカードは、「FAT32」「exFAT」で利用する。

これもキーワード

フォーマット　ストレージを初期化すること。データは全て消去される

device

デバイス

機器本体や周辺機器、構成要素などを指す

パソコンやスマートフォンなど各種の機器を個別に指すときの総称。CPUやメモリー、ストレージなど、機器を構成する部品を指す場合もある。

装置や機器の意味であり、パソコン本体に注目したときは、本体内の部品レベルや周辺機器を指す。例えば、プリンターなどの周辺機器を利用できるようにする目的で、パソコンにインストールする制御用ソフトウエアを、デバイスドライバーまたはドライバーソフトと呼ぶ。一方、マウスやタッチパッドなど、画面上で位置や方向などを指示するための入力機器はポインティングデバイスと呼ぶ。

これもキーワード

デバイスドライバー　パソコンに組み込んで周辺機器を利用可能にする制御用ソフト

serial / parallel

シリアル／パラレル

データ転送時の直列方式と並列方式

シリアルが直列、パラレルが並列を意味する。一般にデータ転送のインタフェースでは、パラレルがシンプルであり、シリアルが高速化に向く。

シリアルインタフェースは、信号線を通してデータを順番に送る。パラレルインタフェースは、複数の信号線を横並びにしてデータを並列に送る。かつてはパラレルの方が高速とされていた。しかし、パラレルでは複数の信号線のタイミングを合わせる必要があり、データ転送速度が高くなると、逆にそれが高速化の妨げとなる。そのため、現在の高速なインタフェースはシリアル方式が一般的になっている。

これもキーワード

シリアルATA（アタ）　内蔵ハードディスクの接続規格。初期のATAをシリアル化した

今さら聞けない基本のキーワード▶コンピューター全般

analog / digital

基本

アナログ／デジタル

連続的な情報と、数値に置き換えた非連続な情報

情報を連続的に変化する量で表すのがアナログ、数値として段階的に刻むのがデジタル。コンピューターはデジタル化した情報を処理する。

光景や音声、温度、圧力など、人間の感覚器官が検知するのはアナログの情報になる。一方、これらの情報をコンピューターで処理するためには、電子回路に適したデジタルデータに変換する必要がある。転じて、コンピューター化されていない旧来の手法や考え方などを、アナログと呼ぶことも多い。デジタルデータを２進数で表現すると「10101110」など、数字の「0」と「1」の組み合わせになる。

これもキーワード

DAC（ダック）　音声や映像のデジタル信号をアナログ信号に変換する機器や回路

bit

基本

ビット

2進数の1桁分を表す情報の最小単位

情報量の最小単位で、2進数の1桁のこと。「0」または「1」の値になる。コンピューターは、論理回路のオン/オフにビットを対応させて複雑な処理を実行する。

コンピューターの内部では命令やデータを2進数で扱う。どれだけの情報量を一度に取り扱えるかで処理能力が違ってくる。そのため、32ビットや64ビットなどの言い方で、CPUの処理能力やデータ転送の仕様を表す場合がある。

例えば、2進数の「1101」を10進数に換算すると、左の桁から1×8(2の3乗)、1×4(2の2乗)、0×2(2の1乗)、1×1(2の0乗)なので、合計13になる。

これもキーワード

バイナリー　2進数のこと。バイナリーデータなどの言い方がある(→P155)

今さら聞けない基本のキーワード▶コンピューター全般

byte : B

基本

バイト

8ビットを表す単位であり、半角英数字の1文字分

情報量の単位。1バイトは8ビットを意味する。256種類(2の8乗)の値を表現でき、半角文字の英数字や記号の1文字分として扱われる。

本来は英数字の1文字分を文字コードで表現するための単位であり、現在は1バイトが8ビットと定義されている。32ビットCPUや64ビットCPUなどのように、コンピューター内部では8ビット(またはその整数倍)を単位とする機構が多用されている。一般に、ファイルのサイズやストレージの容量はバイト単位で表記する。

これもキーワード

KB(キロバイト)　1KBは1024バイト。1000ではなく2の10乗の1024になる

MB(メガバイト)　通常は、KBの1024倍。さらに1024倍でGB(ギガバイト)になる

internet

基本

インターネット

統一した手順で世界のネットワークを相互接続

世界規模のコンピューターネットワーク。TCP/IPという通信規約が基本になる。利用するには、インターネットを構成するサーバーのいずれかに接続する。

米国防総省による研究開発が起源。そのシステムを発展させ、1980年代には、米国を中心とした大学や研究機関がコンピューターシステムを相互に接続。大規模なネットワークを構築した。その後、このネットワークが営利目的でも利用可能になり、世界を網羅する巨大なネットワークに成長した。当初はメールとファイル交換が主な用途だったが、Webの仕組みが登場したことで急拡大した。

インターネット全体を指して、クラウド（cloud、雲）とも呼ぶ。ネットワーク構成の図解で、インターネット部分を雲のような輪郭線で表現したことに由来する。

世界中のネットワークが相互に接続する

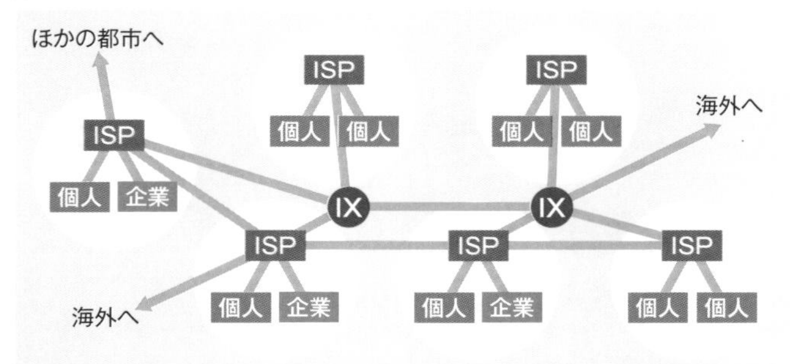

インターネットは各種の組織やプロバイダーなどが形成するネットワークを相互接続したもの。IXはプロバイダーからの配線が集中する接続ポイントだ

ワンポイント

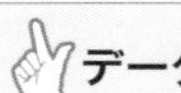
データを決まった手順で受け渡し、離れたネットワークとも接続する。

これもキーワード

プロトコル　通信規約。コンピューターが通信するための手順や約束事 (→P153)

TCP/IP　インターネットの基本を支える通信規約 (→P77)

Web　インターネットで情報を共有する仕組み。World Wide Webとも呼ぶ

online／offline

オンライン／オフライン

ネットワークに接続中または切り離し中の状態

オンラインは、ネットワークに接続された状態。オンラインショッピングのように、ネットワークを経由したやり取りなども指す。オフラインは、接続が切れた状態。

手元の機器が回線を通じてつながっている状態がオンライン。たいていは接続時に、本人確認のためのIDとパスワードの入力などが必要であり、その操作をログインまたはサインインという。接続終了の操作はログアウトまたはサインアウト。オフラインは接続していない状態を指す。なお、そこから転じて、ネットの知人同士が直接会って集まることを、オフラインミーティングやオフ会などと呼ぶ。

これもキーワード

アカウント　利用者を識別するための名前。IDとほぼ同じ意味で用いられる(→P152)

client／server

クライアント／サーバー

サービスの受け取り側と提供側で役割分担

コンピューター同士やソフトウエア同士の役割分担。クライアントはほかからサービスを受ける側であり、サーバーはサービスを提供する側になる。

クライアントは顧客や依頼者、サーバーは給仕などを意味する。サーバー側のコンピューターには、データベースやWebなどの機能を稼働させておく。利用者は自分のパソコンなどをクライアントとしてサーバーに接続。サーバーが提供する機能をクライアントから利用するという使い方になる。そのほか、2台のコンピューターが対等に処理を分け合う形で接続する方式は、ピアツーピアと呼ぶ。

これもキーワード

ピアツーピア　コンピューター同士が対等の立場で連携する接続方式

local / remote

ローカル/リモート

ネットワークのこちら側とあちら側

ローカルは、利用者が直接操作している側の機器を指す。リモートは、ネットワーク経由で接続した先の機器を指す。遠隔地からの接続はリモートアクセス。

ローカルは現地や地元、リモートは遠隔を意味する。ネットワーク環境では、例えば自分が操作するパソコンに直接接続したハードディスクを「ローカルのハードディスク」などと呼ぶ。一方、ネットワークで接続した先のサーバーや機器、サービスなどはリモートになる。ネットワーク経由でほかのコンピューターに接続し、そのデスクトップ画面を表示して遠隔操作することをリモートデスクトップと呼ぶ。

これもキーワード

リモートデスクトップ　遠隔地のコンピューターを接続して、その画面を操作すること

account

基本

アカウント

システムやWebサービスでの利用者ごとの識別名

利用者を識別するための名前。IDとほぼ同じ意味で用いられる。そもそもはアカウントナンバー（口座番号、課金番号）に由来する。

アカウントは、基本的には利用するシステムやサービスごとに用意する。ただし、運営元が同じシステムやWebサービスで、共通のアカウントを利用する場合も多い。Googleアカウント、Facebookアカウント、Apple IDなど、利用者の多いアカウントで他社のWebサービスに登録できるソーシャルログインと呼ばれる仕組みもある。アカウントが流出すると、金銭や信用などで深刻な損害を被る可能性がある。

これもキーワード

ソーシャルログイン　大手のアカウントで他社のサービスを利用できる仕組み（→P106）

どうき：synchronization

同期

複数の機器に保存してあるデータを同じ内容にする

同じデータを複数の機器に保存して管理する場合、常に最新にするために、いずれかの機器で加えた変更を、ほかの機器に反映させる仕組みを指す。

例えば、Webサービスとして利用できる主要なクラウドストレージは、パソコンのフォルダーに保存した内容を自動で反映させる同期機能を用意している。パソコン側でファイルを変更すると、そのファイルをアップロードして更新し、パソコン側で削除すると、クラウド側も「ごみ箱」に移動させるなどの仕組みだ。複数のパソコンが同じファイルを同時に変更した場合は、両方を保存するなどで対処する。

これもキーワード

クラウドストレージ　インターネット上にファイルを保存するサービス（→P62）

protocol

プロトコル

コンピューターが通信するための手順や約束事

通信規約ともいう。物理的な接続方法から、ソフトウエア同士のデータのやり取りの方法まで、さまざまなプロトコルがある。インターネットではTCP/IPが基本だ。

例えば、WebブラウザーとWebサーバーは、HTTPというプロトコルで通信する。HTTPは、TCPとIPという2つのプロトコルを使う。ほかにも、テレビ会議や動画配信、エラー訂正などでそれぞれのプロトコルがある。

ファイル転送のプロトコルでは、インターネットのFTP、WindowsやmacOSで使われるSMBなどがある。そのほか、ストレージ機器が使うプロトコルもある。

これもキーワード

TCP/IP　インターネットの基本を支える通信規約（→P77）

オーエス：operating system

基本

OS

コンピューターが動作するための基本ソフト

ハードウエアを制御し、コンピューターとしての動作に必要な機能を提供するソフトウエア。基本ソフトウエアとも呼ぶ。アプリは動作時にOSの機能を利用する。

OSの主な機能には、ハードウエアの制御、メモリーやタスクの管理、ファイルの管理、ネットワークへの対応、ユーザーインタフェースの提供などがある。また、ハードウエアの仕様を抽象化することで、アプリがハードウエアの細かな違いに影響されずに動作できるようにする。たいていのOSには各種のツールが含まれており、OSの標準機能として利用される。OS内に仮想的なハードウエア環境を作り、そこに別のOSまたは同じOSを動作させることも可能。その仕組みを仮想化と呼ぶ。これによって、本来のOSでは動作しないアプリを利用したり、システムに悪影響を及ぼす可能性のあるアプリを特別な環境で試したりできる。

ハードウエアを制御して利用環境を提供する

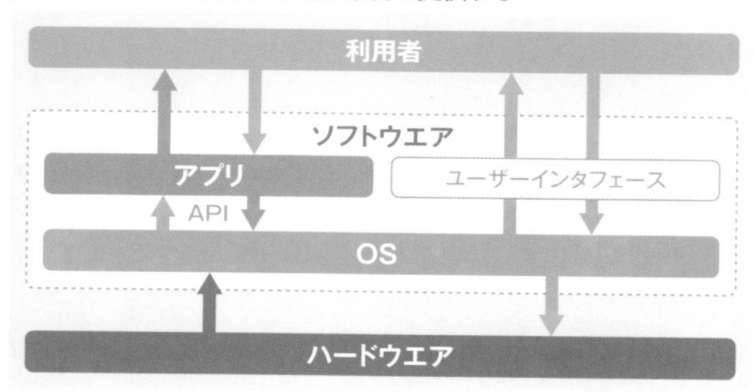

OSはコンピューターの利用環境を提供する。OSの上で動作するアプリは、APIによってOSの機能を利用する

ワンポイント

中核部分のカーネルから外側のシェルまで、階層化された設計が多い。

これもキーワード

API　自身の機能をほかから利用できるようにする手続きの集まり (→P168)

仮想化　OS内に作った特別な環境でもう一つのOSを稼働させること

apps : application

基本

アプリ

ワープロや表計算など目的ごとの作業を遂行するソフト

コンピューターを目的ごとの作業に利用するためのソフトウエア。アプリケーションソフトウエアの略で、応用ソフトなどとも呼ぶ。

OSがコンピューターを使用可能にするのに対して、アプリはコンピューターを目的に応じた作業に利用するための機能を提供する。アプリケーションは応用や適用を意味する。基本的にはOS上で動作するが、専用機器などでは、両方が一体化したようなソフトウエアの作り方も可能。

そのほか、OSの使い勝手を向上させたり、機能を追加したりするようなタイプを、ユーティリティーソフトと呼ぶ。

これもキーワード

ユーティリティーソフト　OSを補って、機能や使い勝手を向上させるためのソフト

text ／ binary

テキスト／バイナリー

文字で表示できるデータと表示できないデータ

テキストは、文字コードに対応した値で構成されたデータであり、単に文章なども指す。バイナリーは、テキストとは無関係なデジタルデータ全般。

テキストデータなら、テキストエディターやワープロなどのアプリを使って内容を判読できる。テキストデータのファイルに付く拡張子は「txt」が一般的だが、ほかの拡張子になっている場合も多い。一方、CPUが直接実行できる命令はバイナリー形式なので、通常のプログラムファイルはバイナリーデータになっている。

これもキーワード

エディター　データを編集するためのアプリ。テキストエディターを指す場合が多い

プログラム　コンピューターに実行させる処理の手順を記述したもの

file／folder

ファイル／フォルダー

保存する情報のまとまりと、束ねて整理する仕組み

ファイルは、コンピューターが扱うプログラムやデータを一定のルールでまとめたもの。フォルダーはファイルを束ねて階層化する。いずれもOSの機能で管理する。

コンピューターが扱うプログラムやデータはハードディスクなどのストレージに保存され、OSのファイルシステムによって管理される。なお、ファイル名の末尾には、拡張子と呼ばれる英数字が付くことが多い。

フォルダーは、ファイルをまとめて整理するための仕組み。文具のフォルダーで書類を整理するイメージを、ファイル整理に当てはめた。文字で命令を入力するタイプのOSではディレクトリと呼ぶ。

これもキーワード

ディレクトリ　ファイルを階層構造で管理する仕組み。フォルダーと同じ意味

かくちょうし；extension

拡張子

ファイル名の末尾に付けた数文字で種類を判別

ファイルの種類を判別するために、ファイル名の末尾に付けられる数文字の英数字。OSやアプリはそれぞれ、扱うファイルに応じた拡張子を規定している。

Windowsでは、拡張子とアプリが関連付けられており、ダブルクリックなどの操作でファイルを開こうとすると、関連付けられたアプリが自動的に起動する。拡張子の種類はOSやアプリが規定するほか、一般的なものもある。

macOSでは、拡張子を利用した関連付けも利用するが、必要な情報をファイルに付加することで、拡張子がなくてもアプリを関連付けられる。

これもキーワード

関連付け　Windowsでは、拡張子で指定したファイルとアプリの結び付き

property

プロパティ

選択した対象ごとに表示される詳細情報

対象に関する属性情報。主にWindowsでの用語であり、メニューで「プロパティ」を選ぶと、対象に関連するさまざまな情報の確認や変更ができる。

例えば、ファイルのプロパティでは、サイズ、作成日時、更新日時などの詳細な情報を確認できる。ハードディスクのプロパティでは、ディスクの空き容量を表示するほか、エラーチェックの実行や共有の設定などができる。Windowsでは、対象を右クリックしたときのメニューの最下行に「プロパティ」がある。macOSでは、右クリックしたときのメニューで「情報を見る」を選ぶと、同じような情報を表示する。

これもキーワード

右クリック　マウスの右ボタンをクリックすること。その場で使えるメニューを表示する

今さら聞けない基本のキーワード▶ソフトウエア

もじコード；character code

文字コード

文字に数値を割り振ってデジタル化

コンピューターで文字や記号を扱うために、それぞれの文字や記号に割り振られた数値。シフトJISコード、EUC、Unicode（ユニコード）など複数の種類がある。

一般の文字コードは、1文字に2バイトの数値を割り当てており、通常は2バイトを16進数（0～9、a～f）の4桁で表記する。文字コードの種類によって、それぞれの文字に割り振られるコードは異なる。Webブラウザーやメールソフトなどでは、テキストデータとして保存された文字コードの種類を判別できなかったことで、意味不明な記号の羅列が表示されることがあり、この現象を「文字化け」と呼ぶ。

これもキーワード

テキスト　文字コードで表現され、内容の判読が可能な形式のデータ (→P155)

はんかくもじ／ぜんかくもじ

半角文字／全角文字

英数字とカタカナにある2通りの表示方法

初期のコンピューターは１バイトの文字コードで英数字とカタカナだけを表示した。後に登場した日本語表示は２バイトの文字コードで、倍の文字幅になった。

英数字とカタカナだけなら１バイト（8ビット、256通り）の文字コードで表現できる。一方、漢字やひらがなは種類が多いので、２バイト（16ビット）の文字コードも登場した。初期のコンピューターは１バイトの英数字やカタカナを等間隔で表示した。その後に追加された日本語表示は２文字分の幅とした。この仕組みが継承されているので、英数字とカタカナには、半角文字と全角文字という区別がある。

これもキーワード

文字コード　コンピューターで文字や記号を扱うために割り振られた数値（→P157）

font

フォント

文字を画面に表示するための書体データ

文字を表示したり印刷したりするために使う書体のデータ。多くの種類があり、日本語用のフォントは、明朝体、ゴシック体、毛筆体などに大別される。

コンピューターは、文字や記号を文字コードに置き換えた状態で扱う。一般的な文字コードは１文字２バイトのデジタルデータであり、文字コードのまま表示しても判読できない。それぞれの文字コードが表す文字の形状のデータ（フォント）を用意し、画面の表示や印刷では、そのデータで作った形状に置き換える。OSには標準的なフォントが付属するほか、有料または無料のフォントを自由に追加できる。

これもキーワード

明朝体／ゴシック体　書体の種類。明朝体は本文、ゴシック体はタイトルに向く

きしゅいぞんもじ

機種依存文字

同じ環境以外で正しく表示されない独自文字

メーカーなどが独自に文字コードを割り当てた文字や記号。ほかの機器やメール、Webページなどでは同じ文字や記号として表示されない場合がある。

機種依存文字は、文字コードとして標準では規定されていない数値が割り当てられる。そのため、ほかの環境で表示するときは、対応するフォントがなかったり、同じ数値にほかの独自文字が割り当てられていたりするなどで、同じ文字にならない可能性がある。Windows 10の日本語入力ソフトIMEでは、入力途中で表示する変換候補の機種依存文字には、「環境依存」という表示が添えられる。

これもキーワード

IME　Windowsの日本語入力機能。キーボードからの入力文字を効率良く変換する

clipboard

クリップボード

コピーしたデータを一時保存する特別な場所

「コピー」「切り取り（カット）」「貼り付け（ペースト）」の操作で使うデータの保存場所。直前にコピーまたはカットしたデータが一時的に入る。

例えば、ワープロソフトの画面で文字列の範囲を選択して、メニューから「コピー」または「切り取り（カット）」を実行すると、その文字列の情報がクリップボードに一時的に保存される。そのまま続けて、ほかの箇所で「貼り付け（ペースト）」を実行すると、クリップボードの文字列がその位置に貼り付けられる。次に「コピー」または「切り取り」を実行すると、クリップボードの内容は更新される。

これもキーワード

コピペ　コピー・アンド・ペーストの略。ほかの箇所のデータをそのまま使うこと

ジップ

ZIP

ファイルをまとめて小さくする代表的な圧縮形式

送受信などの目的でファイルのサイズを小さくする圧縮形式の一つ。ファイルの拡張子としてzipが付く。WindowsやmacOSはZIP形式に標準対応する。

圧縮は、一定の手順でデータの並び方や記録方法を効率化して、内容を保ったままサイズを小さくすること。複数のファイルを一つにする役割もある。圧縮ファイルを元に戻す作業を解凍、展開、伸長などと呼ぶ。RAR、LZH、CABなどの圧縮形式もある。なお、画像や音声、動画などのファイル形式では、圧縮効果を高めるために、元データを完全には復元できない、非可逆圧縮を利用するものが多い。

これもキーワード

非可逆圧縮　影響の少ないデータを間引く圧縮方法。画像、音声、動画で利用される

thumbnail

サムネイル

写真や文書などの内容を表示する小さな画像

画像ファイルや文書ファイルの内容を示す縮小画像。ファイルのアイコン代わりに表示することで内容を分かりやすくする。もともとは英語で親指の爪という意味。

Windowsが備えるエクスプローラーやmacOSのFinder（ファインダー）では、それぞれのファイルを種類ごとのアイコンで表示するのが基本。ただし、画像や動画、Office文書は、設定次第で、アイコンでなく内容のイメージを縮小したサムネイルの表示になる。なお、処理性能の低いパソコンでは、表示に時間がかかる場合がある。

これもキーワード

エクスプローラー　Windowsで、デスクトップの表示とファイルの操作を行う機能

Finder　macOSで、デスクトップの表示とファイルの操作を行う機能

エムピースリー；MPEG audio layer 3

MP3

楽曲データとして流通する音声ファイル形式

パソコンなどで楽曲を扱うための代表的な音声ファイル形式。ファイルサイズを小さくするため、影響の少ないデータを省く非可逆圧縮の処理を加えてある。

音楽CDに収められた状態のデータはサイズが大きく、MP3形式に変換すると10分の1以下のサイズになる。音楽配信などで流通する楽曲ファイルの多くがMP3形式であり、ほかに米アップルなどが採用するAAC形式もある。

MP3よりはるかに高音質な音声ファイル形式もある。一般にハイレゾ音源と呼ばれており、パソコンやスマートフォンでは、専用の機器を接続して再生する。

これもキーワード

ハイレゾ音源　一般には音楽CDより高い音質で保存した音声ファイルを指す

今さら聞けない基本のキーワード▶ソフトウエア

エッチドットにーろくご／エッチイーブイシー；High Efficiency Video Coding

H.265/HEVC

4K放送や8K放送で使われる動画圧縮規格

4Kや8Kなど高解像度の放送で利用されている動画圧縮規格。「H.265」と「HEVC」の一方だけで呼ぶ場合もある。「H.264/AVC」の後継になる。

ブルーレイなどで使われているH.264/AVC規格の約2倍の圧縮率であり、同じ条件なら、データ量は半分になる。フレーム内やフレーム間での情報を基にデータを予測し、実際との差分だけ処理するなどしてデータ量を減らす。なお、H.265はITU-T（国際電気通信連合 電気通信標準化部門）による規格名であり、HEVCとも呼ばれる。さらに次世代の「H.266/VVC」規格も策定されてる。

これもキーワード

フレーム　動画を構成する最小単位。フレームを連続表示して動きを表現する

ジェイペグ；Joint Photographic Experts Group

JPEG

デジカメ写真で標準の画像ファイル形式

写真で標準的な画像ファイル形式であり、ファイル名には「jpg」などの拡張子が付く。影響の少ないデータを省く非可逆圧縮でファイルサイズを小さくする。

デジタルカメラは、レンズの奥にある受光素子で光を信号に変換し、数多くの信号で画像を作る。さらに、サイズを小さくするために、JPEG形式に変換して保存する。なお、圧縮して変換する前の写真画像をRAWデータと呼ぶ。

写真用の画像ファイル形式では、米アップルがiPhoneで採用したHEIF（ヒーフ）もある。JPEG形式と比べると、同等の画質なら約半分のサイズになるという。

これもキーワード

HEIF　写真用の新しい画像ファイル形式であり、iPhoneでは標準形式

ピーエヌジー；Portable Network Graphics

PNG

画質が劣化しない多用途の画像ファイル形式

画像を扱うファイル形式の一つ。元画像の情報を省かずに圧縮するので、画質の劣化はない。1画素（ピクセル）当たり最大48ビットまで表現できる。

インターネットの画像表示用として開発された。画像に透明度やガンマ補正のパラメーターを持たせることもできる。データを省かない圧縮なので画像の劣化がない。1画素（ピクセル）当たり最大48ビットまで表現できる。写真画像にも使えるが、その場合はJPEG形式などよりファイルサイズは大きくなる。GIFと同様、モザイク状から通常の画像の内容に変化するインタレース表示が可能。

これもキーワード

GIF　インターネットの初期から使われている画像ファイル形式。色数は最大256色

database

データベース

検索可能な形式でデータを蓄積して活用する仕組み

データを一定の形式で蓄積し、検索できるようにしたもの。1件1行のデータを表のような体裁で保存するリレーショナルデータベースが一般的。

リレーショナルデータベースは、データを複数の表に分割して管理する。表に蓄積される1件ずつのデータをレコードと呼び、レコード内の各項目をフィールドもしくはカラムと呼ぶ。各種の専用ソフトが使われており、Windowsパソコン用では、Microsoft Officeに含まれるAccess（アクセス）が代表的。なお、シンプルな構造のデータベースなら、表計算ソフトのExcelなどでも作成できる。

これもキーワード

Access　マイクロフトが開発するWindows用のデータベースソフト

virus

ウイルス

悪質な行為と増殖を繰り返す不正プログラム

感染すると、ファイルが使用不能になったり情報が盗まれたりなどの被害が生じる。感染したまま使い続けると、ネットワーク経由で被害が拡大する。

コンピューターウイルスの感染経路は、Webやメールによるファイルのやり取りが大半を占める。USBメモリー経由で感染する場合もある。システムの脆弱性を狙い、インターネットに接続するだけで感染するタイプもある。感染するとほかのファイルに取り付いたり、起動用ディスクの特別な領域（ブートセクター）に潜り込んだりする。ネットワーク経由でほかのパソコンにも被害が拡大する。

これもキーワード

マルウエア　攻撃を目的にした全ての不正なプログラムの総称（→P100）

プログラミングげんご；programming language

基本

プログラミング言語

文字と記号でプログラムを記述するためのルール

コンピューターのプログラムを記述するために用いる、命令や構文規則などの体系。用途や目的に応じていろいろな種類のプログラミング言語がある。

コンピューターが直接実行する命令は機械語と呼ばれる。これは「0」と「1」などの羅列であり、人間には理解しにくい。そこで、人間が理解できる単語と文法を使ってプログラムを記述できるようにしたのがプログラミング言語だ。なお、その中でも機械語にごく近いレベルの言語をアセンブリ言語（アセンブラー）と呼ぶ。

プログラムは通常、テキストエディターや専用の開発ツールを使って記述する。完成したテキストデータのプログラムをソースコードと呼ぶ。ソースコードは、機械語に変換することで実行可能な形式になる。基本的には事前に全てを変換した実行ファイルを生成しておく。用途によっては、逐次変換して実行するタイプもある。

プログラミング言語にはいろいろなタイプがある

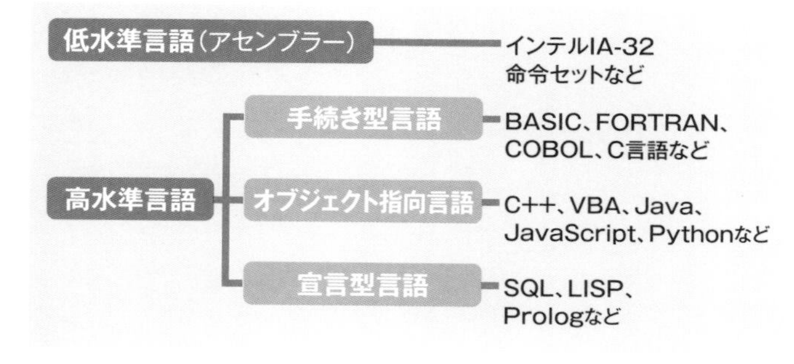

プログラミング言語の分類の例。低水準言語はCPUの命令に近いレベルであり、人が理解しやすい構文規則を備えたものを高水準言語（または高級言語）と呼ぶ

ワンポイント

用途や実行環境に応じた数多くのプログラミング言語がある。

これもキーワード

プログラム　コンピューターに実行させる処理の手順を記述したもの

機械語　CPUが直接、解釈して実行できる形式で表現された命令のこと

ソースコード　実行形式に変換する前のテキストデータのプログラム（→P166）

visual programming

注目

ビジュアルプログラミング

部品を並べて作るプログラミング環境

機能を表す部品を組み合わせることでプログラムを作成できる環境。画面表示部分の基本設計や子供向けのプログラミング教育などで利用される。

教育用ではScratch（スクラッチ）が代表的。命令や構文の役割を担うブロックを並べていくことでプログラムを作成できる。条件を満たすときだけ処理を実行するなど、プログラミングに必要なブロックがひと通り用意されている。WindowsやmacOS、iPad、Androidタブレット向けのアプリが提供され、Webブラウザーからも利用できる。米マサチューセッツ工科大学（MIT）で開発された。

これもキーワード

Scratch　教育用のビジュアルプログラミング環境。ブロックを並べて作成する

オブジェクトしこう；object-oriented

オブジェクト指向

データと手続きのまとまりが基本という考え方

システム全体を、データと手続きを備えたまとまり（オブジェクト）の集合体として捉えること。近年のプログラミング言語で主流の手法になっている。

オブジェクト指向が取り込まれる前のプログラミングは、プログラムの流れを小さな単位に分解し、階層的な構造にするという手法が一般的だった。オブジェクト指向はそれを発展させたもの。データと関連する機能（振る舞い）をオブジェクトとし、それらを基本としてプログラムを記述する。これにより、ソフトウエア開発の生産性を高められるという。数多くのオブジェクト指向言語が登場している。

これもキーワード

オブジェクト　物体や目的のこと。アプリなどでは操作対象のまとまりを指す

flowchart

フローチャート

図形と矢印で処理の流れを視覚化する

基本となるステップを箱などの図形で表し、それらを矢印で結ぶことで、全体的な処理の流れを視覚的に表現したもの。流れ図ともいう。

フローチャートはJIS（日本産業規格）で規格化されており、処理の単位を長方形、条件分岐をひし形、処理の流れを矢印で示すなどが定められている。

プログラムを作成するときは、どのような処理をどのような順序で行うのかを、あらかじめ明確にしておく必要がある。フローチャートを作成することで、処理の流れを視覚的に理解しやすくなり、プログラム開発の効率が上がる。

これもキーワード

JIS（ジス）　産業標準化法に基づいた国内規格。国際規格のISOやIECに準ずる

今さら聞けない基本のキーワード▶プログラミング

source code

ソースコード

実行形式に変換する前のテキストプログラム

プログラミング言語で記述したテキスト形式のままのプログラム。ソースコードがあれば、書き換えることで機能の追加や改善などが可能になる。

ソースコードは、そのままではコンピューターが実行できない。そのため、通常はコンパイラーというツールで実行可能な機械語に一括変換する。あるいは一括で変換せず、実行時にソースコードを逐次変換するインタプリター方式、いったん低水準言語に変換してから実行時に逐次変換する中間言語方式もある。

これもキーワード

コンパイラー　プログラムをまとめて変換して実行形式のファイルを作るツール

インタプリター　テキストのプログラムを逐次変換しながら実行する仕組み

script

スクリプト

テキストデータのまま実行されるプログラム

インタプリターという方式で、テキストデータのまま逐次変換しながら実行できるプログラム。プログラミング言語には、スクリプト言語と呼ばれるタイプもある。

スクリプトは一連の処理手順を記述したものであり、本来は台本や手書きなどを意味する。インターネットのWebページで使われるJavaScript（ジャバスクリプト）は、代表的なスクリプト言語の一つだ。Webブラウザーが Webページに記述されたスクリプト（プログラム）をインタプリター方式で実行する。そのほか、アプリのマクロ機能などで用いる処理の記述もスクリプトと呼ぶ場合が多い。

これもキーワード

JavaScript　Webブラウザー上で実行可能なインターネット用のスクリプト言語

open source

オープンソース

変更も再配布も可能な公開ソースコード

プログラムのソースコードを、著作権者が無料公開したもの。再配布については規定がある。有志が参加するプロジェクトで継続的に開発される例が多い。

オープンソースのソフトウエアは、自由に利用でき、内容を変更したり再配布したりもできる。ただし、その場合は著作権者が明示したライセンスに従う義務がある。それらの多くは、複製物や改変による派生物に対しても同様に自由な利用と再配布を規定している。オープンソースのOSとしては、Linux（リナックス）が代表的。

これもキーワード

Linux　UNIX互換のパソコン向けOS。多くの派生OSがある（→P123）

フリーソフト　無料で使えるソフト。オープンソースの場合もある

エーピーアイ；application programming interface

API

OSなどの機能を部品として外部から利用する仕組み

OSなどのソフトウエアが、自身の機能の一部をほかから利用できるようにするための、関数や手続きの集まり。Webサービスが提供するWeb APIもある。

一般にOSでは、入出力の処理やファイル管理、メモリー管理、ウインドウ管理などの機能を利用するための仕様をAPIとして公開する。アプリの開発者はそれらを利用することで作業を効率化し、同じOS上で動作するほかのアプリとの連携を容易にする。そのほか、Webサービスが提供するWeb APIも広く利用される。例えばGoogleマップの機能は、Web APIによって多くのWebページに組み込まれている。

これもキーワード

Web API　Webサービスの機能をほかのWebページで利用するためのAPI

今さら聞けない基本のキーワード▶プログラミング

board computer

ボードコンピューター

プリント基板のままの簡素なコンピューター

プリント基板の上にCPUやメモリー、入出力端子など、必要な部品を取り付けた状態の簡素なコンピューター。プログラミング学習や趣味の用途が多い。

コンパクトな基板（ボード）にCPUや入出力インタフェースなどを搭載し、そのままコンピューターとして動作する。かつては機器制御などに使われるのが一般的だったが、教育向けの安価な製品が登場したことで人気が高まった。プログラミングや電子工作の知識があれば、入出力端子やセンサーを備えたボードコンピューターを、ホームセキュリティやホームオートメーションなどの用途に活用できる。

これもキーワード

マザーボード　パソコンの主要パーツを装着するプリント基板

ラズベリーパイ

人気

Raspberry Pi

プログラミング学習で人気のボードコンピューター

電子工作やプログラミング学習用として人気の高いボードコンピューター。入出力ピン、microSDカードスロット、USB端子、無線LANなどを備える。

プログラムで制御できるGPIO（汎用入出力）ピンを備え、そこに周辺機器を接続したり、配線したりして電子工作を楽しめる。小型でカスタマイズの自由度が高いことから、IoT端末の開発用に使われることもある。マウスやキーボード、ディスプレイをつなげば、パソコンのような使い方が可能。基本ソフトのRaspberry Pi OSもある。2012年に、英ラズベリーパイ財団が35ドルで最初の製品を発売した。

これもキーワード

IoT　あらゆる機器がインターネット接続で通信する次世代のイメージ (→P14)

マイクロビット

micro:bit

LED搭載の学習用ボードコンピューター

プログラミング学習用に開発された。搭載する5行×5列の赤色LEDを、簡易ディスプレイとして使えるのが特徴。光、温度、加速度のセンサーも搭載。

基板上にある5行×5列の赤色LEDに、プログラムで文字やパターンを表示できる。2つのボタンと、光、温度、加速度のセンサーを搭載しているので、ボタンを押したり、本体を揺らしたりして操作するプログラムも実行できる。入出力端子に拡張機器を接続可能。Webブラウザー上で利用できるプログラミング環境が用意されている。英国放送協会（BBC）が中心になって開発した。

これもキーワード

加速度センサー　ばねに取り付けた重りの変位などで動きを感知する素子

索引 | キーワードとして掲載した用語とその異表記のほか、「これもキーワード」欄で取り上げた用語も含みます

さ行

まぎょう

や行

ら行

わ行

日経パソコン

1983年10月創刊のパーソナルコンピューティングに関する総合情報誌。パソコンとインターネット、スマートフォンや各種デジタル機器を使いこなすための活用情報、最新ニュース、スキルアップ情報などを提供。予約購読制で月2回、読者の元に直接届けられる。Webサイト「教育とICT Online」や教育機関向けクラウドサービス「日経パソコンEdu」なども提供する。

見る 読む 分かる
IT&デジタル 重要キーワード

2021年3月29日　第1版第1刷発行
2024年4月1日　第1版第3刷発行

編　集	西山 博（日経パソコン）
発行者	中野 淳
発　行	株式会社日経BP
発　売	株式会社日経BPマーケティング 〒105-8308　東京都港区虎ノ門4-3-12
装　丁	小口翔平＋阿部早紀子（tobufune）
本文デザイン・制作	Club Advance
印刷・製本	大日本印刷株式会社

ISBN978-4-296-10928-9

本書に関するお問い合わせ、ご連絡は下記にて承ります。
https://nkbp.jp/booksQA